Gloria Fuertes

Ilustraciones: Estrella Fases, Carmen Sáez,
    Marifé González, Nivio López Vigil,
    Jesús Gabán, Federico Delicado, M. Uhía,
    Teresa Novoa, Rocío Martínez, Paz Rodero.
Selección: Celia Ruiz Ibáñez
Corrección: Isabel López/Equipo Susaeta
Diseño, realización y cubierta: *delicado diseño*/Equipo Susaeta

© Fundación Gloria Fuertes
© SUSAETA EDICIONES, S.A.
C/ Campezo, s/n - 28022 Madrid
Tel.: 913 009 100 - Fax: 913 009 118
www.susaeta.com

Los mejores CUENTOS de

Gloria Fuertes

Cuentos largos y breves

susaeta

Presentación

Gloria Fuertes (Madrid, 1918-1998) sigue con nosotros gracias a los versos y a los cuentos que nos dejó. Para que disfrutes de sus historias más divertidas, hemos seleccionado sus mejores cuentos. Encontrarás personajes muy conocidos, como princesas, dragones, piratas… Pero ella les da un toque personal que los hace muy diferentes: los dragones son buenos, los piratas son pacifistas y los objetos no están encantados: son encantadores.

A Gloria, como a ti, le chiflaban los animales y, por eso, en sus relatos aparecen bichos de todas las clases y de todos los tamaños. Como era una hada buena, hasta la diminuta pulga acaba por parecernos grandiosa y fantástica.

Gloria, que fue una mujer del pueblo llano —nació y vivió en Lavapiés, un barrio popular de Madrid—, encontró en el lenguaje de la calle la materia básica de sus cuentos. Una frase hecha como «estás más despistado que un pulpo en un garaje» le inspiró un cuento en el que, como en todos, acaban triunfando el amor y la amistad.

Fue una mujer tan divertida que, incluso escribiendo, jugaba con las palabras para decir cosas muy serias e importantes. Te harán gracia sus títulos tan expresivos, las situaciones absurdas que plantea, como la del domador que muerde al león. Te reirás con sus ingeniosas comparaciones. Además, nos descubre la ternura y nos invita a aceptar a nuestros semejantes, por muy diferentes que sean.

Como Gloria fue una gran poeta —de pequeños y mayores—, también en sus cuentos aparecen, a veces, palabras rimadas e incluso versos al principio, al final o en medio del cuento, para que no se nos olvide qué es lo realmente importante.

Celia Ruiz Ibáñez

Cuentos de amor y de amistad

El pollito
que sabía nadar

Unos niños del pueblo pusieron un huevo de pata en el nido de la Gallina Cucufata.

Cuando nacieron los pollitos y empezaron a correr y a piar, madre gallina se fijó en uno que, en vez de decir pío-pío, decía cua-cua, pero no le dio importancia.

Gallina Cucufata dejó solos a sus pollitos un momento y se alejó a buscar comida para ellos —gusanitos, hormigas y cosas así—. Cuando regresó vio con gran susto que uno de sus pollos, precisamente el blanco, el más gordo, se había caído al agua del estanque.

—¡Dios mío, que se me ahoga! ¡Dios mío, que se me ahoga!

—No tema, si es un pato —dijo otra gallina vecina.

—Por eso mismo temo, es el más pato, el más patoso y el más torpe de todos mis hijos, si no sabe ni piar.

—¡Claro, doña Cucufata! ¿Cómo va a decir pío-pío si es un pato? ¿No ve cómo navega feliz sobre el agua?

—¡No, que se me ahoga! ¡Mi pollito se me ahoga!

La gallina Cucufata tenía un ataque de nervios y cacareaba, como loca, sin escuchar a nadie, hasta que el pollito blanco salió del agua como cojeando y se sacudió las plumas bajo madre gallina, que abrió sus alas para secarle, mientras decía:

—¡Ay! ¡Cuántos disgustos me va a dar este hijo diferente, pero no sé por qué le quiero más que a los tontorrones de color amarillo!

Chin-Cha-Te y el príncipe Kata-Pun-Chin-Chon

EL CHINITO CHIN-CHA-TE parecía una yema de huevo. Como era muy amarillo y le habían hecho un traje también amarillo, daba risa verle.

El chinito quería ser artista y pintaba jarrones, abanicos y biombos. Como era muy travieso y algo presumido, un día encontró en su casa un frasco de colonia y se empapó el pelo; al momento vio horrorizado que su coleta crecía y crecía rápidamente hasta llegarle a la cintura y luego al suelo, y luego salía por debajo de la puerta y se extendía por el pasillo.

—¿Qué es esto? —se preguntó asustado.

—¡Esto es que te has echado mi tónico crecepelo! —gruñó el abuelo Ki-Fu—. En castigo has de quedarte así: jamás te cortarás la coleta ni un centímetro. ¿Lo oyes?

—Sipi —contestó Chin-Cha-Te, lloriqueando.

16

Cierto día estaba Chin-Cha-Te en su tienda con su descomunal coleta enrollada a modo de bufanda, cuando pasó por allí para comprar abanicos nada menos que La-Pa-Ka, princesa de Pekinini, y nada más ver al chinito se enamoró.

—¿Te quieres casar conmigo?

—Soy muy feo, tengo los ojos pequeños y la coleta muy grande.

—No me importa. A mi lado te crecerán los ojos y jugaremos a la comba con tu coleta.

Chin-Cha-Te dijo que bueno.

Pero el rey dijo que malo, que su hija la princesa La-Pa-Ka no podía casarse con un bohemio.

—¡Quiero al chinito, papá!

—Hija mía, ¡estás como una cabra! ¿Cómo vas a casarte con un pintaabanicos? Y, además, con ese nombrecito que tiene… ¿No sabes que están anunciadas tus bodas con el príncipe Kata-Pun-Chin-Chon?

—Sí, lo sé, rey padre… pero es que…

—¿Es que Chin-Cha-Te es más guapo?

—No es que sea más guapo, es que es más bueno.

18

—¡Más bueno es Kata-Pun, que lleva cinco años guerreando para poderte ofrecer seis islas como regalo de boda!

—¿Y para qué quiero seis islas, padre? Yo lo que quiero es saltar a la comba con la coleta de Chin-Cha-Te.

De un momento a otro tenía que llegar al palacio el príncipe Kata-Pun-Chin-Chon.

Paseaba muy triste la princesa por uno de los puentes del gran foso cuando en un descuido cayó al agua, que estaba llena de cocodrilos.

—¡Glu! ¡Glu, glu! ¡Me estoy ahogando! ¡Salvadme! ¡Salvadme!

Kata-Pun se rascaba el casco pensando… Tirarse sobre aquellas aguas llenas de bichos, la verdad, era como para pensarlo…

—¡Espera! —gritó a la princesa.

—¡No hay tiempo para esperar! —sonó la voz del valiente Chin-Cha-Te, que, oportuno, andaba por los alrededores.

Chin-Cha-Te, con gran destreza, desenrolló su coleta y la lanzó al agua.

—¡Cógete bien, oh Pa-Ka mía: no temas hacerme daño!

El chinito tiró de su coleta hasta subir a la superficie a la princesa en el momento en que uno de los cocodrilos nadaba hacia ella.

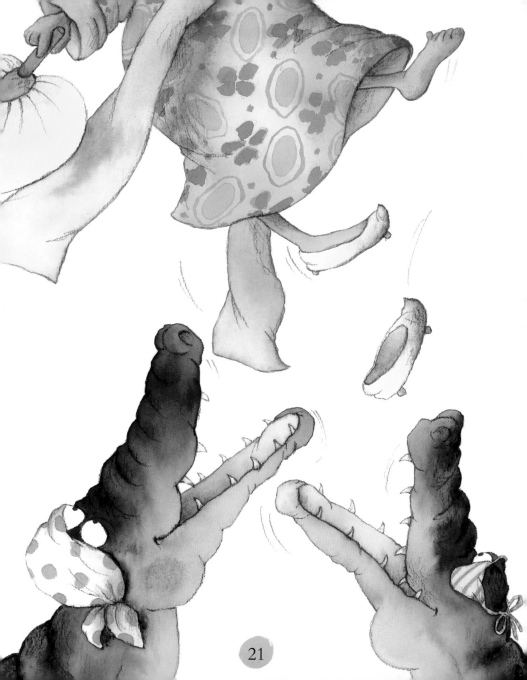

21

La princesa, toda mojada, dijo al príncipe guerrero:

—¡Chín-cha-te!

Y Chin-Cha-Te, todo contento, exclamó:

—¡Bella Pa-Ka!

—¡Hija mía! —dijo el rey, que tembloroso había estado contemplando el accidente—. ¡Dame un besito, y dame otro besito, Chin-Cha-Te!

Los besó emocionado y, dirigiéndose al cobarducho del príncipe, habló:

—Lo siento por ti, Kata-Pun-Chin-Chon, pero la mano de mi hija, la princesa La-Pa-Ka, es para el valiente Chin-Cha-Te.

El domador mordió al león

—¡Aquí tenéis al domador
que se comió un brazo del león!
—¡Será al revés!
—No, señor.
Don Nicanor,
el domador,
dejó de tocar
el tambor
y se comió una
pata del león.
Tenía hambre
don Nicanor,
un hambre voraz
y atroz,
sólo comía al día
una taza
de arroz.

No ganaba dinero. No le iba bien el circo
y no era porque le creciesen los enanos.

El circo en aquel pueblo fue un fracaso.

Era un pueblo sin niños ni poetas.

Iban al circo cuatro gatos, cuatro viejos y la señora
del alcalde.

Al tercer día les pillaron grandes aguaceros, y les
entraba el agua por los agujeros (de la lona).

La jirafa tuvo anginas.
(¡Dos metros de anginas!)
El oso estaba mocoso.
Las pulgas amaestradas se escaparon.
Los tontos se volvieron listos
y no hacían reír.
Y el pobre don Nicanor
tocaba triste el tambor
y suspendió la función.

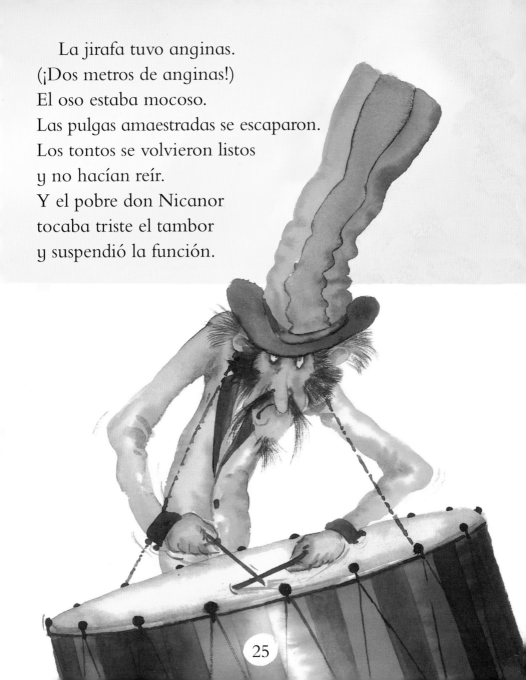

Al día siguiente hubo circo con poca gente.
Don Nicanor entró en la jaula del «feroche» león,
y al verle las magritas del brazuelo…

—¡Aaauuuunnn! —le dio un mordisco que le tiró
al suelo.

El león, confuso, patidifuso ante tal atrevimiento,
gritó:

—¡Que me come! ¡Que me come! ¡Que este tío
me come!

—¡Qué número! —el público aplaudía.

Don Nicanor seguía comiendo la pata delantera
del león. A los gritos del
león acudió una
bombera.

Don Nicanor seguía comiendo la pata delantera
(del león).

—¡Qué número! ¡Qué maravilla!
—el público gritaba y aplaudía.
Llevaron al león a la casa de socorro
y le pusieron una vacuna antirrábica.
(Al pincharle, al león Leoncio
le dio un soponcio
y perdió el conocimiento y la melena.)

Horas más tarde.

Los guardias detienen al domador,
llamado don Nicanor.

Días más tarde.

En el juicio, pierde el juicio
su abogado defensor,
diciendo: «Observen, señores del jurado,
qué cara de inocente
tiene el delincuente…».

(Don Nicanor lloraba cara abajo.)

«…Y sepan que durante treinta días
el acusado no comió,
por darle sus bocadillos de mortadela al león.
Puede comprenderse que, en un ataque antropófago,
producido por la debilidad, pegara un mordisco
a su víctima inocente
(¡y no tan inocente!;
porque el león también tiene dientes,
por tanto pudo defenderse,
y si no lo hizo… ¡es cosa suya!).

Por eso defiendo a don Nicanor,
porque nunca quiso hacer daño a su león.
Su león "era
para él la vida entera,
como un sol de primavera…"».

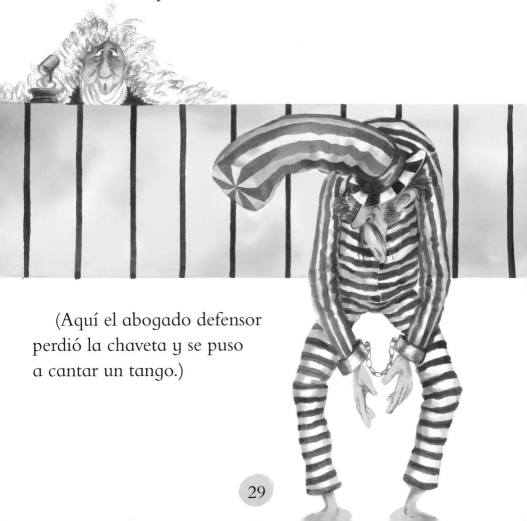

(Aquí el abogado defensor
perdió la chaveta y se puso
a cantar un tango.)

«Perdón, como les decía, para don Nicanor
el león era su instrumento de trabajo,
su herramienta peluda.
Don Nicanor, ¡pobre criatura!,
hizo lo que hizo en un momento de locura,
por lo que repito, delante de la gente,
que don Nicanor ¡es inocente!».

El juez dijo que bueno.

Don Nicanor dio un beso al león y se puso a tocar el tambor como un loco, mientras el león, lloriqueando, se lamía la escayola.

Un pulpo en un garaje

EL PULPO estaba vivo pero muerto de miedo en aquella inmensa jaula que olía a gasolina (el pulpo no sabía que olía a gasolina) y cada vez respiraba peor.

El pulpo recorría aquel siniestro lugar, tropezando con coches, camiones y sin encontrar un cubo de agua que llevarse a la boca.

El pulpo, como os dije, estaba muerto de miedo y más muerto de miedo se quedó el chico del garaje cuando por la mañana, a media mañana y a medio despertar, se dispuso a lavar los coches y tiró de la manga que asomaba entre las ruedas de un camión.

En ese momento sintió cómo otras siete mangas le palpaban, le abrazaban y le llenaban la cara de tinta.

—¡Un pulpo! ¡Ay, mi madre! ¿Qué es esto? ¡Un pulpo en el garaje! ¡Estoy perdido!

—El que está perdido soy yo, perdido y despistado…

—¡Un pulpo en el garaje! —repitió el muchacho mientras intentaba librarse de los ocho tentáculos (perdón, brazos) del pulpo.

Y habló el pulpo:

—No temas que no aprieto, es «un mecanismo de defensa» que tenemos los pulpos cuando alguien nos agarra de una pata como tú has hecho.

Y habló el muchacho:

—Alucino. ¡Además este pulpo habla!

El pulpo soltó el cuerpo del muchacho y éste salió corriendo y se encerró en la cabina de un autobús.

—Por favor, niño —dijo el pulpo—, no me abandones ahora que estoy más despistado que un pulpo en un garaje.

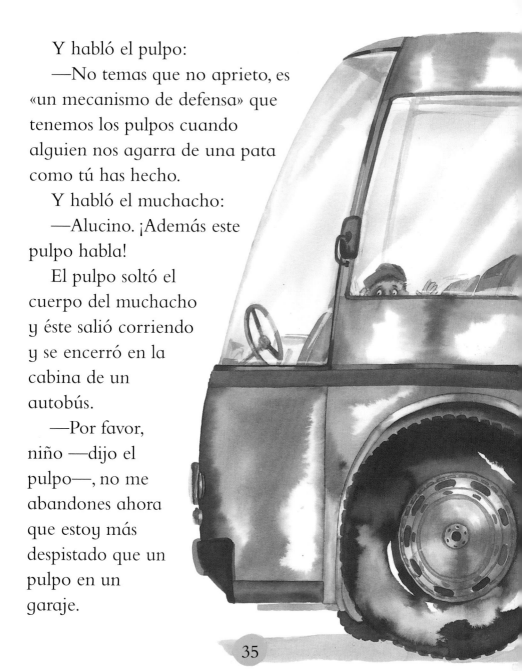

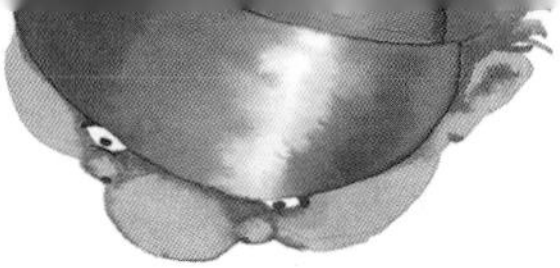

El muchacho del garaje
se armó de coraje.

Salió de la cabina,
llenó una cuba
de agua
y dijo
al pulpo:

—Métete
en la cuba.

El pulpo se
metió y se quedó quieto y callado.

¡Baja el cristal y sal!

¡Por favor,
llévame al mar!

¡Baja el cristal y escucha!

¡Llévame primero
a la ducha!

¡Estoy seco
y no puedo
respirar!

El muchacho del garaje seguía muerto de miedo, no por el ataque del pulpo, sino porque el pulpo hablaba.

—Me tengo que deshacer de este bicho, pero ¿cómo?

El pulpo asomó su extraña cabezota por la cuba y dijo con una vocecilla muy triste:

—Oye, chico, ¿quieres ser mi amigo?

—¿Yo? ¿Para qué?

—Para jugar conmigo en el mar. ¿Sabes nadar?

—Claro que sé.

—Pues llévame al mar y te enseñaré a regatear a las olas y nos reiremos de los peces de colores.

El muchacho del garaje ató la cuba donde el pulpo
estaba a una carretilla y corrió tras ella calle abajo
hasta el mar.

A primeras horas de la noche… el puerto estaba
desierto.

Con gran pena, el muchacho del garaje dio un
empujón a la cuba en el borde del arrecife.

La cuba iba saltando de roca en roca hacia el mar;
dentro de la cuba iba mareado el calamar.

—¡Pulpito! ¡Buen viaje! —dijo el muchacho del garaje.

Desde entonces, todas las tardes iba el muchacho del garaje a las rocas a visitar a su amigo el pulpo. Y el pulpo, como le había prometido, le enseñó a bucear, a reírse de los peces de colores y a sentir la amistad, no sólo con los animales de la tierra, sino también con los animales del mar.

El perro Picatoste

ESTO ERA UN PERRO y una pulga. El perro se llamaba
Picatoste y la pulga, Pulga,
pero la llamaban Pedrita.

La pulga
saltaba una pulgada,
cada vez que su madre
la dejaba.

—¡Qué mala suerte tengo! —dijo la pulga—. Yo no sé si saldré de este invierno. Más hambre tengo que los pavos de Benito, que se comían la vía a picotazos.

(La pulga Pedrita se miró en un charco.)

—¡Mi madre, qué espantajo! Si levantara la cabeza mi madre pulga y me viera canija como una liendre…

La pulga Pedrita iba andando, andando, mejor dicho, saltando, saltando… casi iba llorando, cuando… ¡vio un letrero!

—¡Esta es la mía! —exclamó la pulga hambrienta.

EXPOSICIÓN CANINA

41

Echó carrerilla y usó todas las fuerzas que le quedaban para saltar la valla, y vaya que no creía lo que veía.

—¡Comedor gratis al aire libre! ¡Variedad de platos para escoger! ¡Perritos calientes y vivos de todos los tamaños y lanas!

No anduvo pensándolo mucho. Aparcó en la primera jaula. El inquilino de la jaula era un perro negro, alto, bien plantado, bien parecido a su padre, de aspecto apacible, que observaba todo con aire triste desde la tela metálica. Al cuello le colgaba una medalla que decía:

«Me llamo Picatoste. Soy caniche. Tengo dos años».

La pulga recorrió todo el peludo litoral de Picatoste y, por fin, se instaló en mitad de la espalda, donde ni patas ni hocico podían impedirle picar y ponerse como el Quico.

La pulga Pedrita fue feliz durante horas, quizá días. También el perro Picatoste estaba más entretenido —rasca que rasca— aunque rascaba por donde no era, como un mal tocador de guitarra.

Después de «comer», pulga Pedrita se iba a dar una vuelta por la exposición canina para estirar las patas y dejar dormir la siesta a gusto a su protector. En sus recorridos por el recinto-lugar de la exposición, vio perros y perros de todos los tamaños, colores y pelambres.

Estuvo tentada de «probar» un galgo cómodo que le ofrecía muchas posibilidades para el camuflaje o escondite, porque una pulga se puede esconder muy bien entre los pelos largos de un galgo ruso. Pulga Pedrita preparó el salto… pero al fin decidió que no. Sería un galgo, muy ruso y muy caro, pero su cara era de pescado triste; tenía cara de aburrido.

—¡Bah!, para mí —dijo la pulga— todos los perros son iguales, pero sólo uno es mi Picatoste.

No, no eran todos los perros iguales para los señores que tenían que dar los premios a los perros más guapos, más puros, más peinados, más de raza fina o cara. (Lo de la raza-cara no consistía en que el perrito tuviera

una cara bonita, simpática, graciosa —¡qué va!— porque los «raza-cara» eran los perros más feos, antipáticos o raros, quitando los fox terrier, los lobos, los caniches y los setter.)

He de deciros que pulga Pedrita no sabía si su Picatoste era caniche o qué, sólo sabía que le había cogido cariño y que, además, era guapo, y después de observar a todos los perritos que se presentaban al premio, pulga Pedrita volvió a decir:

—¡Bah! Como mi Picatoste, ninguno.

Y tenía razón. Por algo, un día colgaron un cartel en la jaula:

PICATOSTE,
HUESO DE ORO
PRIMER PREMIO

Aquel día ni Picatoste ni la pulga pudieron estar tranquilos.

¡Qué aluvión! ¡Qué jaleo! ¡Qué alboroto! La «tele», la radio; fotos, caricias, piropos caían sobre Picatoste, que estaba «frito»; cien caras y doscientos ojos les miraban sin parar de hablar…

Al día siguiente, peor aún; fue todo lo contrario.

Sacaron a Picatoste de malos modales de la jaula y con él sacaron a pulga Pedrita. Unos señores, con manos torpes, regordetas y peludas, empezaron a tocar y a toquetear a Picatoste, como si entre sus rizos buscaran un tesoro.

Unos señores sólo decían:

—Sí, sí, sí…

Otros decían:

—No, no, no…

Y seguían hablando:

—¡Hay que meterlos en la cárcel! ¡Hay que detener a sus amos!

(—¡Ay!, si este perro no tiene más amo que yo —lloriqueaba pulga Pedrita.)

—¡Es un chucho vulgar!

(—Lo de chucho, pase, pero lo de vulgar, nada —decía la pulga, pero no se la oía.)

En esto, un señor con cara de pocos amigos y ojillos de malo de película sacó una pistola muy rara y apuntó al perrito Picatoste. Pulga Pedrita, muy asustada, batió el récord del medio metro libre varias veces, recorriendo la espalda de Picatoste de oreja a rabo.

El señor de la pistola con cara de pocos amigos empezó a acariciar a Picatoste, pero se notaba que no, que no eran caricias de cariño, porque le acariciaba a punta de pistola, y le pasó el arma por la cabeza. Picatoste empezó a temblar.

Pulga Pedrita le daba palmadas en el lomo con las patitas para calmarle. ¡Pobre Picatoste! (El hombre de la pistola no le estaba acariciando; le estaba esquilando.)

—¡Al cero! ¡El corte de pelo tiene que ser al cero! En el examen este perro merece un cero —decía un señor del jurado.

¡Ay! ¡Cómo le dejaron a Picatoste! Daba pena verle. El hermoso caniche parecía una gamba de luto. Sin un pelo de pelo, desnudito, temblaba avergonzado. Con esa mirada triste que a veces ponen los perros y los niños pegados, Picatoste se despedía con una mirada de su único traje, del montón de rizos recortados y negros que sepultaban, asfixiándola, a la pulga.

El hombre de la pistola seguía enfadado:

—¡Es un fraude, un hurto premeditado, estafa inicua, está claro!

(Pero para el perro, la pulga y los niños, que no entendieron esas palabras, no estaba nada claro.)

Hablaron de llevar los pelos al laboratorio.

—¡Al laboratorio!

Al oírlo, pulga Pedrita se puso mala y con mucho esfuerzo traspasó la montaña de rizos cortados y saltó hasta esconderse dentro de la oreja de Picatoste.

—No te asustes, guapo —le dijo al oído—, que no nos pasará nada. No llores porque te hayan quitado el título: para mí, siempre serás ¡campeón de belleza!

Y nadie ni nada
nos podrá separar.
¡Picatoste, soy tu pulga!

—¡No es caniche!

—¡Mirad las guedejas!

—¡Rizo falso!

—¡A este ratonero callejero le han
hecho la permanente!

—¡Es un chucho vulgar!

—¡Lo de chucho, pase, pero lo de
vulgar, nada! Mi Picatoste es el perro
más gracioso y guapo del mundo
—volvió a gritar, sentada en una ceja,
pulga Pedrita.

Pero nadie la escuchó más
que su Picatoste.

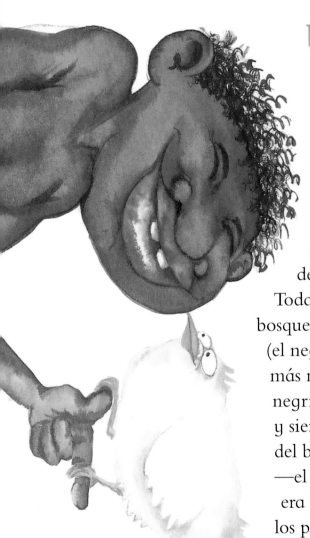

El negrito Negrito

ERA UN NEGRITO
que vivía solito.
Era el negrito
más negrito de
la Selva Negra,
más negra que la boca
de una ballena.
Todas las mañanas iba al
bosque el negro Negrito
(el negrito Negrito era el
más negrito de todos los
negritos)
y siempre llevaba debajo
del brazo un palomito
—el palomito del negrito
era el más blanco de todos
los palomitos.
Y palomín palomito
se acabó el cuento de Negrito.

La gallina Kikirikí
y su tío Kikirikó

I

—LA GALLINA KIKIRIKÍ y su tío
Kikirikó picoteaban la tierra
del corral tomando el sol.

—Tío Kikirikó, ¿quieres
que te cuente el cuento de
una parienta nuestra?

—Bueno.

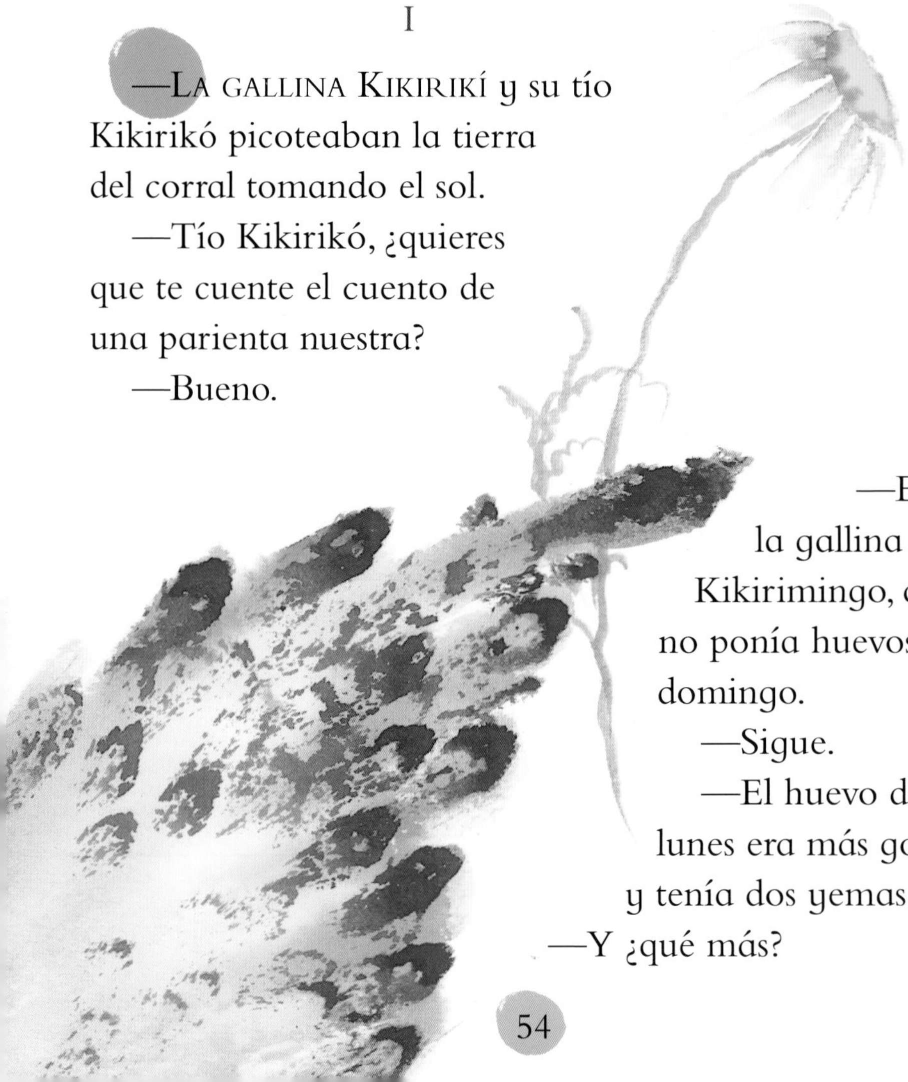

—Era
la gallina
Kikirimingo, que
no ponía huevos en
domingo.

—Sigue.

—El huevo de los
lunes era más gordo,
y tenía dos yemas…

—Y ¿qué más?

—Pues que los amos de la gallinita Kikirimingo pusieron una granja y nuestra antepasada pasaba mucho frío y ponía muchos huevos

> y cuando le daba la tos,
> ponía dos,
> y de uno de esos huevos
> nací yo.

—¡Qué relato más hermoso, Kikirikí —dijo su tío Kikirikó.

—Sí, hermoso pero tristón, porque ni yo ni mis hermanos conocimos a nuestra madre, éramos pollitos de granja. Yo me libré de aquella prisión, donde me esperaba lo peor, me salvé porque me cogió de la bandeja y me crió el hijo del portero y… pero ¿por qué lloras tío Kikirikó?

—Por nada, Kikirikí, por nada.

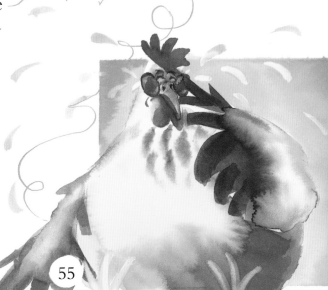

La gallina Kikirikí viene saltando, casi volando, con un papel en la mano.

—Te veo muy alegre, Kikirikí —dijo su tío Kikirikó.

—Es que quiero que me corrijas.

—¿Qué te corrija la alegría?

—No, que me corrijas esto que he escrito a la prima…

—¡Ah! ¿Tienes una prima gallinácea?

—Eso no tiene gracia.

—He inventado estos versos a la prima. ¡A la primavera!

—¡Pero bueno! ¡No me digas, sobrina Kikirikí, que también eres poeta!

—Se oye un pío, pío,
junto a la orilla del río…

—¿Pero tú has escrito eso? Pues tienes muy buena
pluma.

—Gracias, tío Kikirikó —la gallina Kikirikí, muy
orgullosa, se acaricicia la pechuga con un ala—. ¡Buena
pluma, tengo buena pluma! ¿Te leo la poesía entera?

—Venga.

Gallina Kikirikí empezó
a recitar con voz de huevo:

A la prima Primavera

*Se oye un pío pío pío
junto a la orilla del río.
¡Oh, cosa maravillosa!
Los árboles tienen hojas,
la mariposa tiene ojos,
la ristra tiene ajos.
Junto a la orilla del río,
se oye un pío pío pío.
La primavera ha venido
y yo la he reconocido
por el pío pío pío.*

—¿Qué te ha parecido, tío?
—Demasiado pío, pío.

Calixto, el calamar listo

ESTO ERA UN CALAMAR
que nació dentro del mar.
Nació entre rocas y erizos,
voy a contar lo que hizo.
Se llamaba Calixto el listo.

En el colegio del fondo del mar era el primero de la
clase nuestro calamar (el último era el «del-fín»).

El maestro, que era un besugo, no le llamaba «Calixto
el listo». Le llamaba «Calixto el tintero», porque tenía
más tinta que sus compañeros.

Calixto, el calamar, era feliz por la mar, tenía brazos
muy largos, hubiera triunfado jugando al baloncesto,
pero le gustaba escribir cuentos, tenía tinta para rato e
ideas no le faltaban.

El calamar era muy gracioso e imaginativo, escribía
cuentos de sirenas-princesas, de estrellas de mar y de
peces de colores… Cuando los leía, en alta voz
y en alta mar, todos sus hermanos,
los cefalópodos, se reían
de los peces de colores.

En el colegio del fondo del mar, Calixto el calamar se hizo amigo de una pulpa muy graciosa llamada Pepita, con la que salía a pasear al parque de los corales y a la que quería mucho, tanto que para ella inventaba versos y le cantaba:

> Pulpa de tamarindo
> qué dulce eres...
> No crezcas que me harás daño,
> quédate como estás,
> de mi tamaño.

—¡Qué cosas más bonitas me dices, Calixto mío, parece mentira que seas un calamar! ¿Es que acaso me quieres?

El calamar contestó más rápido que el mar (que era su pueblo).

—Claro que te quiero, pulpita mía, aunque somos como Romeo y Julieta, y cuando seamos mayores no nos podremos casar, porque tú eres de la familia de los pulpos y yo de la familia de los calamares. No es que nuestras familias se odien, como los humanos, es cuestión de la naturaleza, nadie tiene la culpa, pulpa. Tú te harás muy grande, tus tentáculos

(perdón), tus ocho bracitos de hoy, serán
el terror de los navegantes y yo me
quedaré como estoy, hecho un
enano calamar…

Pero ahora,
cuando te veo,
mi corazón me
palpita, pulpita
Pepita, daría toda
mi tinta por ti.
Y así fue.

Como bajo el mar sucede lo mismo que sobre la tierra, cuando el calamar y la pulpa (Calixto y Pepita) más felices estaban, riendo, jugando a «hacerse un lío», entrecruzando sus dieciséis brazos o patas (que en realidad se llaman tentáculos)… apareció un cachorro de cachalote (pez grande) enseñando todos sus dientes y todas sus ganas de comer.

El calamar Calixto gritó:

—¡Cuidado, Pulpa de Tamarindo!

—¿Qué hago? —preguntó la pulpa.

—Tú, nada.

—Pero puedo hacer algo…

—Nada, muchacha, nada, pero del verbo nadar. ¡Huye! Yo me encargo de este león de mar que parece un autobús…

La pulpa nadó y su calamar la salvó, dando toda su tinta (casi su vida) por ella. Porque, cuando el calamar

Calixto descargó toda la tinta de su cuerpo y nubló los ojos del feroz cetáceo (pez grande), el feroz pez grande, como no veía ni gota en el mar, se enfureció y dio al calamar Calixto un fuerte coletazo —con la cola, claro— que le dejó sin sentido de la orientación.

Calixto no sabía dónde estaba.

—¡Ay, ay! ¡Qué dolor, qué pena!… Me veo escayolado, ese bestia de ballenato me ha roto, por lo menos, tres tentáculos… ¡Ay, qué mal ando, digo, qué mal nado! ¡No puedo girar!… ¡Ay, ay, ay!

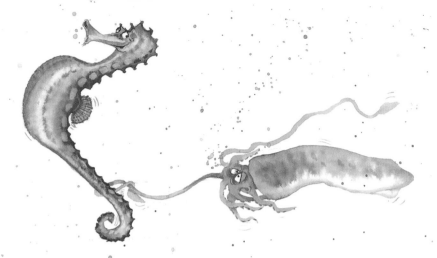

Gracias a que pasó por allí un hipocampo (caballito
de mar de alquiler) y se subió en él. El hipocampo le
llevó hasta su roca.

—¿Qué habrá sido de mi pulpa, pulpita Pepita? —se
preguntaba.

Nada. Nada. Nada. De su pulpa, pulpita Pepita,
el calamar no volvió a saber nada.

Pasó el tiempo, el mar seguía igual, en su sitio, como siempre; azul, con sus olas azules por arriba y sus peces rojos por abajo.

Calixto, el calamar, no seguía igual, cambió de sitio y de estado, se casó con una calamara de su edad y tamaño y tuvieron muchos chipirones.

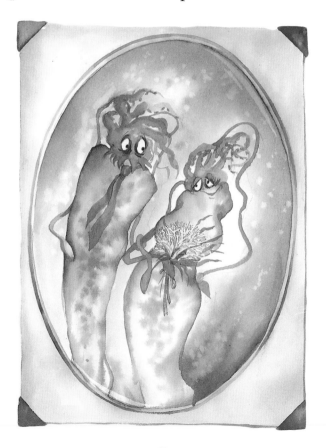

Hace unos días, estando el calamar
Calixto «pescando» chanquetes, se le
acercó una cosa enorme que intentaba
estrangular a una serpiente de mar. Calixto,
el calamar, miraba la escena asustado
y asombrado…

El gigantesco monstruo, al ver a Calixto, el calamar,
soltó su presa.

—Soy Pepita —dijo el gigantesco pulpo (que era
pulpa) y casi llorando desapareció entre las rocas.

—¡Madre del amor hermoso, qué rostro más horroso!
—dijo el pequeño calamarcito al ver a su ex novia
hecha una vaca marina con ocho patas—. ¡Anda, digo
nada, que si me llego a casar con la pulpa Pepita
hubiéramos sido la risa del barrio boquerón!

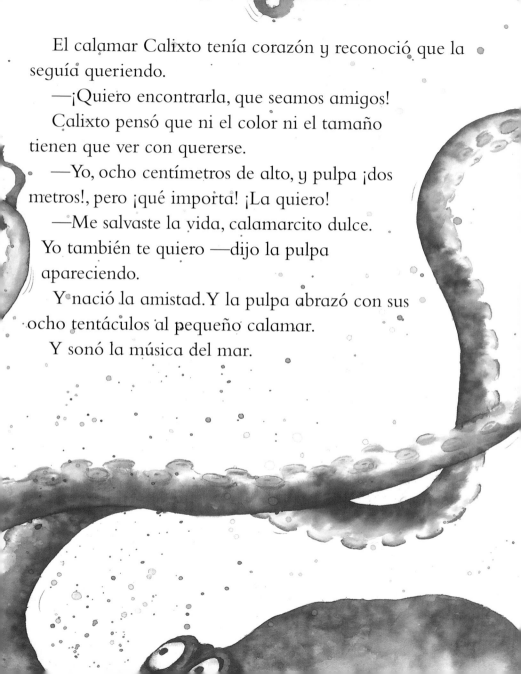

El calamar Calixto tenía corazón y reconoció que la seguía queriendo.

—¡Quiero encontrarla, que seamos amigos!

Calixto pensó que ni el color ni el tamaño tienen que ver con quererse.

—Yo, ocho centímetros de alto, y pulpa ¡dos metros!, pero ¡qué importa! ¡La quiero!

—Me salvaste la vida, calamarcito dulce. Yo también te quiero —dijo la pulpa apareciendo.

Y nació la amistad. Y la pulpa abrazó con sus ocho tentáculos al pequeño calamar.

Y sonó la música del mar.

La mariposa
y el hipopótamo

LA MARIPOSA BLANCA se posó en el hipopótamo negro.

—Hipopótamo, qué grande eres. ¿Cuánto pesas?

—Peso unos dos mil quinientos kilos. ¿Y tú?

—Yo, ni medio gramo…

—Eres muy bonita y tan pequeña…

—Y tú muy feo y tan grande…

—No importa, podemos ser amigos.

—Claro que sí, hipopótamo —dijo
la mariposa.

Para la amistad con amor,
no importan el tamaño y el color.

Historias de nuestras mascotas

En la pajarería

—Buenas. Vengo a cambiar el loro que le compré, por dos tortugas.

—Pero ¿por qué? ¿Es que no habla?

—Sí, hablar sí habla. Habla de noche y de día,
pero le da por poner conferencias a Brasil,
para charlar con su tía.

El gato y la lavadora

CUANDO ESTABA LA SEÑORA metiendo la ropa sucia en la lavadora, sonó el teléfono; la señora se fue.

El gato llegó y dijo:

—¡Uy, qué casita más bonita con su puerta redondita! ¡Uy, qué colchoncito caliente, de ropita blanda enfrente! Me voy a echar una siestecita…

Regresó la señora, puso la lavadora en marcha y… El pobre gatito dio mil vueltas y vueltas, entre el agua caliente y la espuma del detergente…

Salió de milagro, porque «siete vidas tiene un gato». Salió medio ahogado, medio mareado, pero limpio como los chorros del oro.

La señora llamó al médico asustada.

El veterinario sólo le recetó una pomada. para que no se le cayera el pelo y dijo a la señora:

—Su gato se ha salvado,
porque es muy pequeño;
la próxima vez,
le baña en un barreño.

El perro que no sabía ladrar

Cojeando un poquito de la pata izquierda, por culpa del último coche que le atropelló, iba el perro tranquilo por la calle, cuando pasó por una puerta muy grande y oyó que le llamaban por su nombre.

—¡Chucho! ¡Chucho, toma! ¡Ven aquí!

Chucho fue corriendo, como siempre que le llamaba alguien, y moviendo el rabo en señal de alegría se acercó confiado.

El señor que le había llamado habló con otro y, al momento, le metieron en una gran nave, le pusieron

agua en una lata y comida en un papel, y allí dejaron encerrado al perrito.

El suelo estaba lleno de viruta. Chucho hizo un montón en un rincón y se acostó.

—¡Bueno! —dijo el perro—, aquí por lo menos estoy calentito y, si tengo suerte, me cogerán cariño…

La nave era un almacén de maderas sin luz y sin más diversión que algún ratón que salía a pasear de vez en cuando.

Una noche, el perro Chucho oyó ruidos y pasos, y se puso muy contento porque volvía a ver personas.

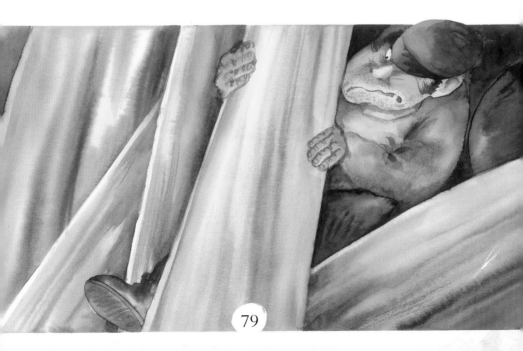

El perro se quedó muy triste porque ni siquiera le habían dirigido la palabra, dejó de mover el rabo e intentó dormir.

Al día siguiente el perro se enteró, por el ratón, de que los que entraron eran ladrones.

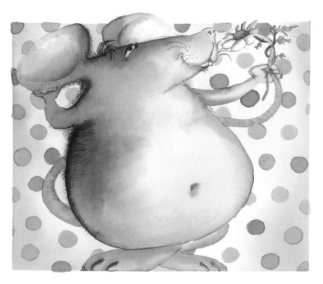

Pasaron unos días y no pasó nada nuevo. Pero otra noche, que Chucho estaba algo malito —porque no comía y sólo bebía agua—, volvió a oír pasos y a ver sombras.

—¡Ladrones, ladrones! ¡Qué ilusión! —y el perro empezó a saltar y a lamerles las botas por si esta vez le caía alguna caricia.

Nada de nada. Los ladrones robaron muy deprisa y tampoco hicieron caso al perro.

A las pocas horas entraron los dueños del almacén y, en vista de que les habían robado dos veces y de que el perro no valía para guardián y ni siquiera sabía ladrar, le pusieron de patitas en la calle.

Y ahora, voy a copiaros una carta que he recibido de este perrito.

Queridos niños:

Ahora que estoy en el paro —sin trabajo— he aprendido a ladrar. Sigo sin cariño y sin casa. Niños, si me queréis «colocar», estoy en el «perriorfelinato» de Barajas, Madrid.

Mis señas son:

- Chucho puro: raza española.
- Color: variable.
- Carácter: simpático.
- Orejas: largas (y limpias).
- Edad: la desconozco.

Atiendo por «Chucho».

Aspiraciones: me gustaría una casa con niños, si es posible. En caso de recogerme, pido tan solo cariño, agua y algún desperdicio. Ofrezco, a cambio, jugar con vosotros, haceros circo y, en caso de tristeza, lamo las lágrimas mejor que nadie.

Aquí os espero, en la residencia de perros huérfanos de Barajas (cerca del Aeropuerto).

Ya os quiere vuestro amigo

Chucho

El erizo cariñoso

—Y DÍGAME, señor Erizo.
¿Usted qué hizo?
¿Usted qué hizo para resultar tan feo y antipático?
—Eso digo yo, paisano,
que tengo el corazón como un piano.
Necesito amigos y cariño,
y cuando me viene a acariciar un niño,
le pincho sin querer,
y huye. Mi destino es vivir solo
y me aburre vivir solo;
y si un día me pongo malito,
¿quién me cuida?

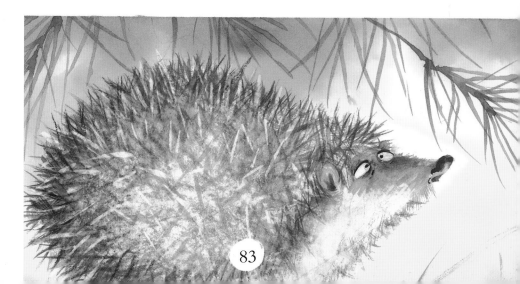

(El erizo se eriza.)

—¿Qué culpa tengo yo de que mis pelos pinchen? Donde vivo, en el campo, hay pocos erizos y los pocos que somos tampoco nos llevamos bien; cuando nos acercamos, nos pinchamos —parecemos humanos—. Si algún niño me llevase a la ciudad, yo pediría que me cortase las púas.

—Pero sin púas no parecerías un erizo.

—No me importa parecer otra cosa con tal de que alguien me quiera.

El sueño del erizo se hizo.

Se hizo realidad cuando unos niños que iban de excursión encontraron al erizo, junto a un árbol, hecho un ovillo.

—¡Uy, qué bicho! —dijo un niño.

—No es un bicho, es un erizo —dijo otro.

—No se mueve.

(El erizo se hacía el muerto.)

Un niño se puso los guantes de lana e intentó cogerle.

El erizo un gran esfuerzo hizo para que sus púas se quedaran quietas y los niños no se asustaran, y se dejó coger.

—¡Qué raro es!

—¡Sí, pero tiene un hocico muy gracioso!

—¿Nos lo llevamos a casa?

—Sí, sí, venga.

Le metieron en una cesta
y el erizo se echó
una siesta.

Al despertar, sintió un bienestar. Estaba sobre la mesa de la cocina rodeado de niños que le miraban con cariño y le acariciaban el hocico con los dedos.

El erizo estaba tan nervioso y emocionado, que hizo un movimiento brusco y se sacudió como un perro mojado; después echó a correr y se le cayeron unos cuantos pinchos.

—¡Pierde púas! —dijo el niño.

—¡Qué pena, se va a quedar calvo! —dijo la niña.

Al oír esto, el erizo empezó a saltar, a dar botes, como una pelota peluda, y a gritar:

—¡Me quieren como soy! ¡Me quieren como soy!

Claro que estos grititos no los oyeron los niños, porque el erizo (como todos los animales) habla, pero no le podemos oír.

Cuento corto

—¡Uy! ¡Cómo me he manchado!
—Hombre! ¡Aquí hay un cepillo!
Lo va a coger y se le sube por el brazo.
(Era un erizo.)

El pez llorón

EL PEZ COLORINES vivía, feliz y contento,
con los otros peces de su apartamento.

El apartamento era el acuario de unos grandes
almacenes. El pez Colorines había nacido allí, en la gran
pecera. Como no sabía nada de ríos y mares, se creía
que el mundo era eso. Y era feliz dentro del «lago» de
agua dulce, encarcelado entre paredes de cristal, con
su agua y su comida artificial.

Y Colorines era feliz, sobre todo, porque todos los peces del acuario (de distintos colores, tamaños y precios) eran sus amigos.

—¿Cuál quieres, Miguelito?

—Ése de colorines, tan bonito.

(Y le compraron el pez a Miguelito.)

Colorines se llevó un susto imponente. Por primera vez, el pez se sintió atrapado y, rápidamente, trasladado a otro lugar.

(Colorines por poco no se ahoga en el viaje.)

El otro lugar era una habitación pequeña, redonda, desierta…

«Estoy en la cárcel», pensó Colorines. «He oído decir que estar solo es como estar en la cárcel.»

El pez Colorines no estaba en ninguna cárcel, estaba en una pecera y estaba en una casa, encima de la chimenea, junto al televisor.

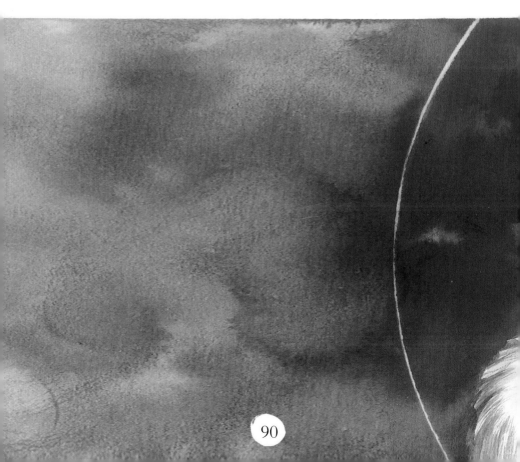

Al llegar la noche, todos se acostaron, menos el perro Kiko que, durante horas y horas, le observó extrañado.

El pez Colorines estaba muy triste y muy asustado. No sabía estar solo o no quería estar solo.

El pez Colorines no podía hablar.

Se pasó toda la noche llorando.

Por la mañana apareció en la sala la madre de Miguelito, se quitó una zapatilla y empezó a pegar al perro Kiko.

—¡Sinvergüenza! ¡Cochino! ¡Ven aquí! ¿No te da vergüenza? ¡Hay que ver lo que has hecho! ¿Por qué no dijiste al papá de Miguelín: «Papá, pipí»?

La señora señalaba con el dedo un gran charco en el suelo.

El culpable del gran charco en el suelo no fue el perrito Kiko. Kiko no se había hecho pipí.

Sucedió que el pez Colorines se pasó toda la noche llorando. Y sus lágrimas aumentaban el agua de la pecera, hasta desbordarse, chimenea abajo.

Mientras la madre de Miguelín seguía dando
zapatillazos al perro, Colorines, el pez llorón, miraba
de reojo la escena, avergonzado, quieto en un rincón de
la pecera, sin mover los ojos, sin mover
las aletas.

Colorines, el pez, no podía hablar.

Kiko, el perro, tampoco dijo nada.

Las mascotas y sus dueños

ME DIJO UN LECTOR que tiene un perro que le protege y le obedece si le trata de usted.

Le dice:

—¡Ataque!

Y le da un ataque.

Y yo le contesté:

—Pues yo tengo un pato que más que obediente
es inteligente.

Le digo: —Tráeme una camisa del armario.

Y el pato me dice: —¿Cua? ¿Cua? ¿Cuál?

Y yo le digo: —Cualquiera, la de rayas.

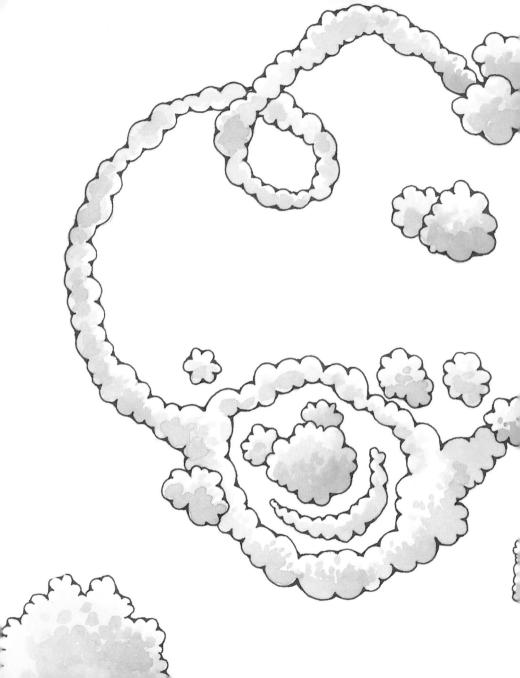

Historias de personajes bondadosos y muy generosos

Cangura para todo

SONÓ EL TIMBRE.

El señor abrió la puerta.

La escalera estaba oscura.

Alguien, con un pañuelo atado a la cabeza, le entregó una tarjeta que decía:

«Se ofrece cangura muy domesticada para doméstica».

—Pase, por favor; llevamos un mes como locos sin niñera ni cocinera. Siéntese.

El señor abrió de par en par la ventana y de par en par los ojos.

Ante él tenía un canguro imponente.

—¡Pero bueno! ¿Pero cómo? ¿Pero cómo ha llegado usted aquí?

—Pues saltando, saltando, un día di un salto tan grande que me salté el mar.

—¡Clo! ¡Clo! —el señor parecía que iba a poner un huevo, pero era que llamaba a su esposa, que se llamaba Dulce Mariana Clotilde del Carmen, pero él, para abreviar, la llamaba Clo.

Apareció Clo y desapareció al mismo tiempo gritando:

—¡Dios mío, hay un canguro en el sofá! ¡Un canguro!

—Cangura, señora, cangura, soy niña —aclaró el animalito, estirando sus orejas y lamiéndose las manos.

—¡Ven, Clo! Ten confianza…

Volvió a aparecer Clo, muerta de asombro.

—Mírala bien, parece limpia y espabilada, además a los niños les gustará; yo creo que conviene que se quede en casa.

Clo, la señora, miraba a la cangura de reojo, tragando saliva…

—¿Cuál es su nombre? —preguntó por preguntarle algo.

—Marsupiana, para servirles.

Y la cangura se quedó en casa para servirles.

¡Y qué bien servía!

Desde la mañana comenzaba a trabajar.

—¡Marsupianaaa! Tráenos el desayuno a la cama.

Y la cangura, con su bandeja en la tripa, iba y venía veloz.

—¡Marsupianaaa! ¡Vete a la compra!

Y la cangura iba y venía veloz con su «bolsa» llena de verduras, botellas y pescadillas.

—¡Marsupianaaa! ¡Lleva a los niños al colegio!

—¡Marsupianaaa! ¡Lleva a los niños de paseo, lleva el cochecito!

—No, señora, no lo necesito.

La cangura metía a los dos pequeños en su «bolsa-delantal» y a los otros dos se los montaba en la potente cola y, saltando de cinco en cinco los escalones, se plantaba en un segundo en el portal.

Cruzaba la calle de un salto por encima de los coches y por encima del guarda de la porra.
Lo tenía bizco.

Marsupiana para todo era rápida, trabajadora y obediente. Los señores estaban muy contentos con ella, le subieron el sueldo.

Y le hicieron la permanente.

—¡Marsupianaaa! Date una carrera a casa de mi suegra, que no funciona el teléfono y tú llegas antes que un telegrama.

—¿Y qué le digo?

—Lo de siempre, que no venga.

—¡Marsupianaaa!

—Mándeme, señora.

La señora tenía una regadera en la mano.

—Mira, Marsupiana, esta tarde tenemos una fiesta y tú tienes que ayudarme.

—Sí, señora; cuando vengan las visitas les quito el abrigo, los sombreros, los paraguas, todo. Y les sirvo las rosquillas y la gaseosa… ¡Estaré de camarero!

—¡No, vas a estar de florero! Mira, te colocas en este rincón,

ahí, ¡quieta!, ¡no te muevas! Y ahora abre bien la bolsa.

La cangura abrió también la boca mientras doña Clo le regaba la tripa.

—¡Aaaay!

—¿Qué te pasa?

—¡Que está muy fría el agua, señora!

Doña Clo bajó al jardín y volvió con un gran ramo de flores; estas flores las fue colocando muy artísticamente dentro de la «bolsa» de la cangura.

—¡Aaaay!

—¿Qué te pasa ahora?

—¡Que me hace usted cosquillas con los tallos, doña Clo, en el mismísimo ombligo!

109

Llegó la hora de la fiesta y Marsupiana fue el comentario de los invitados.

—¡Uy, qué precioso rincón! ¡Qué maravillosa escultura! ¡Qué original florero!

—¡Qué realismo! Parece que está vivo y coleando…

—Pero… ¿Qué es esto? —preguntaban las más estúpidas.

—Ya veis lo que es, una cangura disecada, mi marido es cazador y tiene muchas.

A Marsupiana cada vez que la llamaban «disecada» le daban temblores y le entraban ganas de estornudar…

Lo peor fue cuando una avispa empezó a pasar
y repasar a un centímetro de su hocico.

La cangura sudaba y bizqueaba siguiendo el vuelo
del insecto, hasta que sintió un terrible picotazo en la
punta de la nariz y, dando un gran salto, se encaramó a
la lámpara.

—¡Socorro, el canguro se ha «desdisecado»!

Cuando la cangura Marsupiana miró hacia el suelo,
había una alfombra imponente de señoras desmayadas;
menos doña Clo, que le dio por reír.

Llegó el calor y con el calor bajaron las maletas de los armarios. Como no les cabían todas las ropas, tuvieron que usar la cangura de maletín. La facturaron como equipaje porque costaba menos que un billete.

Le pegaron una etiqueta en la tripa con las señas del Puerto.

La etiqueta se le despegó con el calor y el jefe de correos la mandó a Australia.

Marsupiana estaba cansada, aburrida y mareada del barco.

Cuando oyó que se paraban las máquinas, ¡ya no pudo más! Saltó por una ventana redonda y fue a parar al agua, afortunadamente cerca de la playa.

Aquel sitio le era conocido, aquellos montes y aquellos árboles le recordaban algo…

De pronto, una nube de canguros la acorralaron y la besuquearon.

Todos sus primos y demás familiares brincaban de felicidad riendo a carcajadas con la cola.

—¡Marsupiana! ¡Marsupiana!

—¡Bienvenida, gorda y sana!

—¡Qué alegría volverte a ver!

—¡Uy, qué de regalos nos trae!

—¡Qué regalos ni qué canguro muerto! Éstos no son regalos, son propiedad de doña Clo…

Marsupiana no pudo seguir hablando, no la dejaban, y emocionada por el cariño que le demostraba su pueblo, decidió quedarse en la isla, que al fin y al cabo era lo suyo.

Y se puso a peinar y a lamer a los canguritos pequeños porque le recordaban a los hijitos de doña Clo.

El pulpo mecanógrafo

Sus ojitos de botón negros, como dos tinteros, giraban mirando todo.

El pulpo se acomodó cómodamente en el sofá de la oficina.

El sofá quedó invadido por todos sus tentáculos y sus ocho brazos colgaban como flecos esparciéndose graciosamente sobre la alfombra.

Se abrió la puerta y entró el jefe con su cara blanca de jefe, pálido como hoja de papel. Cara blanca que cambió por roja al ver lo que veía.

—¡Ah!… ¿Es usted?

—Sí, señor, yo soy usted, y usted es el que me va a dar trabajo, ¿a qué sí?

—¡Pues sí! —dijo el jefe.

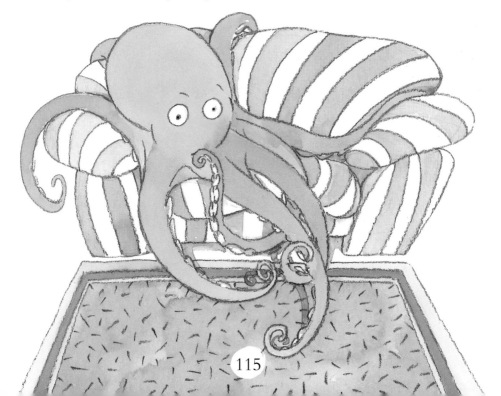

—Sí, servidor es mecanógrafo, hoy dactilógrafo, mañana robot gráfico, también soy un poco fotográfico… Mi deseo es que quiero trabajar en lo mío, no se fije en mi aspecto exterior; un mecanógrafo sólo tiene que ser mecanógrafo, ortográfico y «rapigráfico». Yo soy más rápido que la mar (que es mi pueblo), corro más que la luz y no soy cotilla, adulón ni pelotilla, ¡mire qué maravilla! —y alzando sus patas por alto, añadió—: Me pueden dictar las cartas ocho personas al mismo tiempo. Escribo un millón de palabras a la hora. De gastos nada, las cartas personales las puedo escribir a mano, en ese caso yo pongo la tinta; tampoco necesito papel de calcar para hacer las copias.

—Pero es que yo no contaba con… con que el nuevo empleado fuera un pulpo.

—Pues sí, señor, lo ha adivinado; aunque no lo parezca soy un pulpo y usted es inteligente, clarividente y suficiente para comprender que soy pulpo por culpa de mi madre calamara y de mi padre jibia; pero como secretario viene de secreto, usted no tiene por qué decir al señor director que su nueva secretaria es un pulpo.

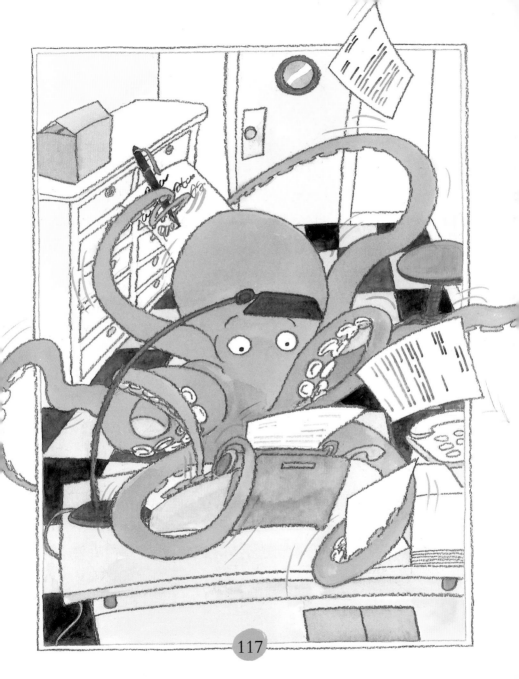

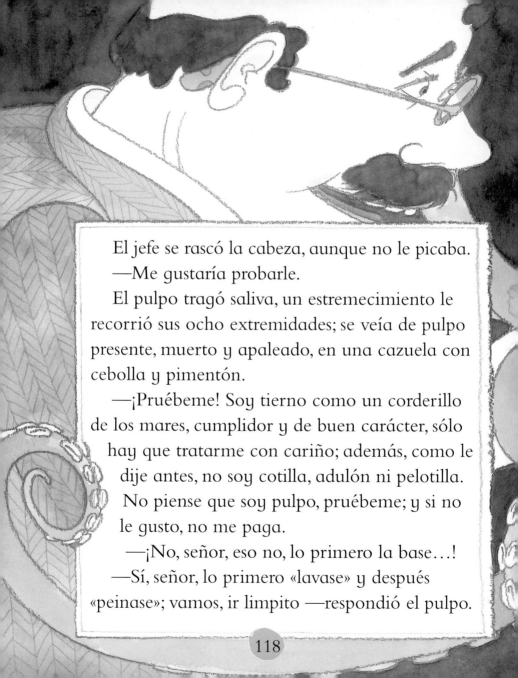

El jefe se rascó la cabeza, aunque no le picaba.

—Me gustaría probarle.

El pulpo tragó saliva, un estremecimiento le recorrió sus ocho extremidades; se veía de pulpo presente, muerto y apaleado, en una cazuela con cebolla y pimentón.

—¡Pruébeme! Soy tierno como un corderillo de los mares, cumplidor y de buen carácter, sólo hay que tratarme con cariño; además, como le dije antes, no soy cotilla, adulón ni pelotilla. No piense que soy pulpo, pruébeme; y si no le gusto, no me paga.

—¡No, señor, eso no, lo primero la base…!

—Sí, señor, lo primero «lavase» y después «peinase»; vamos, ir limpito —respondió el pulpo.

118

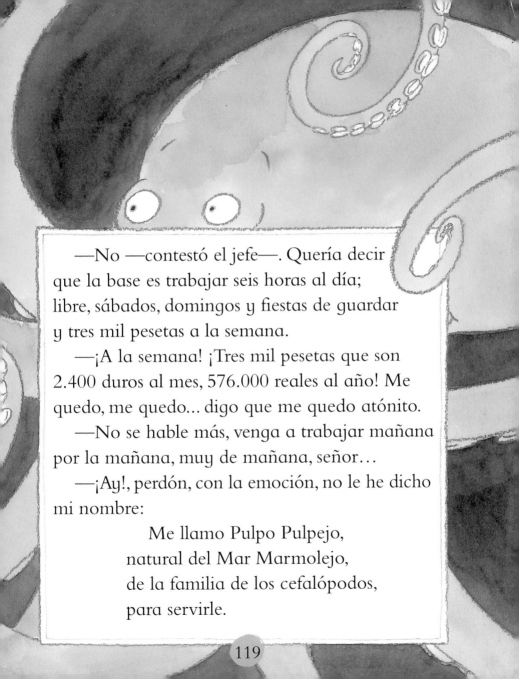

—No —contestó el jefe—. Quería decir
que la base es trabajar seis horas al día;
libre, sábados, domingos y fiestas de guardar
y tres mil pesetas a la semana.

—¡A la semana! ¡Tres mil pesetas que son
2.400 duros al mes, 576.000 reales al año! Me
quedo, me quedo... digo que me quedo atónito.

—No se hable más, venga a trabajar mañana
por la mañana, muy de mañana, señor...

—¡Ay!, perdón, con la emoción, no le he dicho
mi nombre:

> Me llamo Pulpo Pulpejo,
> natural del Mar Marmolejo,
> de la familia de los cefalópodos,
> para servirle.

Los lunes se amontonaba el trabajo, el pulpo sudaba tinta.

—¡Que cante el pulpo, que cante!

Era el día del cumpleaños del señor director.

Hubo guateque con tapitas, copitas y patatas fritas. Y el pulpo cantó unas canciones marineras y «Asturias, patria querida».

Al final de la comida, cuando iban a empezar los discursos, echaron de menos al pulpo.

—¿Y el pulpo? ¿Dónde está el pulpo?

Llamaron a todos las puertas, y nada.

Llamaron a todos los puertos, y nada.

A todas las comisarías marítimas, y nada.

—¿Dónde está pulpo?

—Nada.

—Ya lo sé que nada, pero ¿dónde?

Nadie sabía nada.

A la mañana siguiente, le encontraron durmiendo tranquilamente en el estanque de la fábrica… Para llegar puntual a la oficina.

Y la amistad reinó entre ellos.

El espantapájaros

EL ESPANTAPÁJAROS
era un hombre de palo,
estaba hecho con tres palos, así…
No llevaba zapatos,
pero llevaba guantes,
pantalones viejos
y tirantes.
Chaquetón descosido,
sombrero raído (con una flor).
Tenía una nariz larga, de madera,
y el pelo rubio de estropajo.
Sabía silbar.
—Ahí te quedas, espantapájaros.

123

Le pusieron para espantar a los pájaros, en el centro
de una huerta.

—Si a mí me gustan las aves, ¿por qué las voy a
espantar?

El espantapájaros silbaba
y todos los pájaros venían a picar el maíz,
y a posarse en su nariz.

También venían los niños y jugaban a su alrededor,
le nombraron su amigo, le cogieron cariño, como
a un nuevo Pinocho.

Una mañana llegó el campesino para dar una vuelta
por su huerta y una nube de pájaros cantores salió
a recibirle.

El campesino, viendo lo que vio, dijo de mal humor:

—¡Este espantapájaros es un espantajo! No vale para lo que ha sido creado. ¡Fuera!

Lo arrancó del suelo como a un arbolito y lo lanzó lejos de la huerta.

El espantapájaros se quedó solo en medio del campo. El espantapájaros se puso a cantar.

Se puso a cantar porque
no se quedó solo,
tenía un nido de pájaros
en el corazón.

El angelito Benito

EL ANGELITO BENITO lloraba acurrucado en la esquina de una nube.

El angelito Benito era muy pequeño.
Se había caído del cielo
y no lograba emprender vuelo.
El angelito Benito lloraba,
porque no le crecían las alas.

Entre las nubes, cerca de él, pasó un aviador en su avioneta y, al ver una extraña luz, dio vueltas y vueltas.

El aviador se frotaba los ojos, no podía creer lo que veía.

—¡Un niño en las nubes! Sí, es un niño. Se parece a mi Luisito. ¡Yo alucino y nunca bebo vino! —dijo el aviador y volvió a volar
y a volar
alrededor.

Volaba sobre la nube
lo más lento que su
motor podía resistir
y gritó:

—¡Niño! ¿Qué haces ahí, niño?

—¡No soy un niño! ¡Soy un ángel pequeño
que aún no tengo alas!

No puedo bajar ni subir;
cuando esta nube se deshaga,
no sé qué va a ser de mí…

—¡No te preocupes! ¡Yo te ayudaré! Cuando
vuelva a acercarme a tu nube, ¡tú saltas!

—No puedo, no sé saltar. ¿No lo ves? Aún no
tengo mis alas.

—Ahora no necesitas tus alas, salta a las mías.
¡Salta a mis alas!

(Este diálogo se realizó dando grandes gritos, y aun
así apenas se oían con el ruido del motor.)

El aviador estaba pasando el peor momento
de su vida, por el asombro, el susto y que se acababa
la gasolina.

—¡Escucha, angelitoooo! —gritó el aviador—. ¡No te muevas de esa nube, que ahora vuelvo!

El aviador bajó en picado, aterrizó en la pista y, echando chispas, se montó rápido en un helicóptero (que no era suyo) y salió pitando (digo volando) sin decir nada a nadie de su aventura porque si lo hubiera dicho, nadie le habría creído.

Raudo y veloz (nunca mejor dicho), el helicóptero voló hacia arriba como un ascensor loco, hasta llegar a la nube donde aún estaba el angelito Benito.

El aviador paró el helicóptero sobre la nube y lanzó al angelito la escalera salvavidas.

El angelito Benito se agarró a ella y en unos segundos estaba sentado en la cabina de helicóptero, mirando muy fijamente al aviador, que le preguntó:

—¿Cómo te llamas?

—Angelito.

—¡Claro! —dijo el aviador.

—Angelito Benito —añadió el pequeño angelito.

El aviador entró en su casa con el «niño de la nube» de la mano.

—Aquí os traigo un hermano nuevo, ya criadito, se llama Angelito.

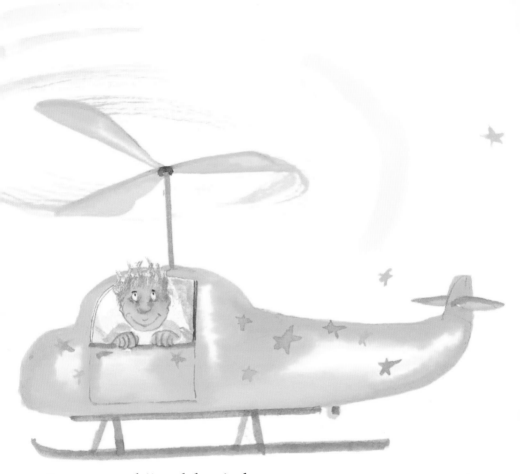

   Los cuatro hijos del aviador
se pusieron a dar saltitos alrededor,
y a besarle y a abrazarle con un cariño
que les nació de repente.

   El aviador sólo dijo la verdad a su mujer (porque
nadie más que ella iba a creerle).

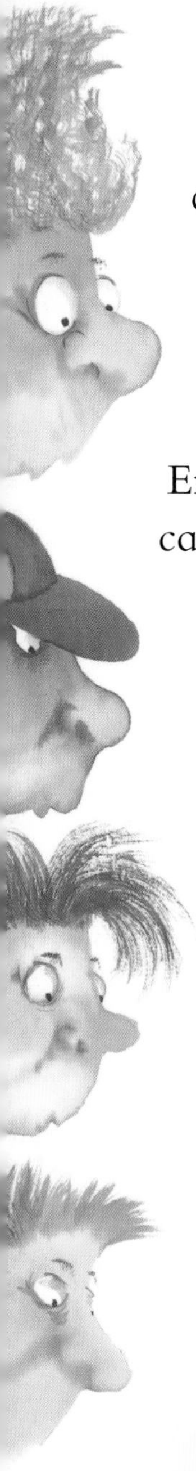

Pasaron unos días y…

—Los padres de Luisito han adoptado un niño rubio muy simpático —decían a sus padres los chicos del barrio.

El niño nuevo, el niño de la nube, el angelito Benito, era la alegría de la casa. Era obediente, listo, inteligente, alegre, bueno, cariñoso.

¡Era un ángel!

Y en el colegio, igual, era obediente, estudioso,
inteligente, buen compañero, cariñoso. ¡Era la alegría
de la escuela!

Y en deportes, era un atleta, sobre todo en
baloncesto; siempre encestaba porque corría como
una moto y, al llegar a la red, daba unos saltos que
parecía que «volaba». ¡Era la estrella del baloncesto!

El aviador llevaba unos días encerrado en el garaje y, por fin, realizó su invento: unas alas de plástico pegadas a un cinturón con un motor eléctrico. El aviador llamó al angelito, le colocó el invento volador, le apretó el cinturón con alas y le dijo:

—Mira, angelito, apáñate con esto mientras te salgan las tuyas.

—¡Ay, no! ¡Por favor! Yo no necesito volar, mientras esté aquí, quiero ser como los demás niños.

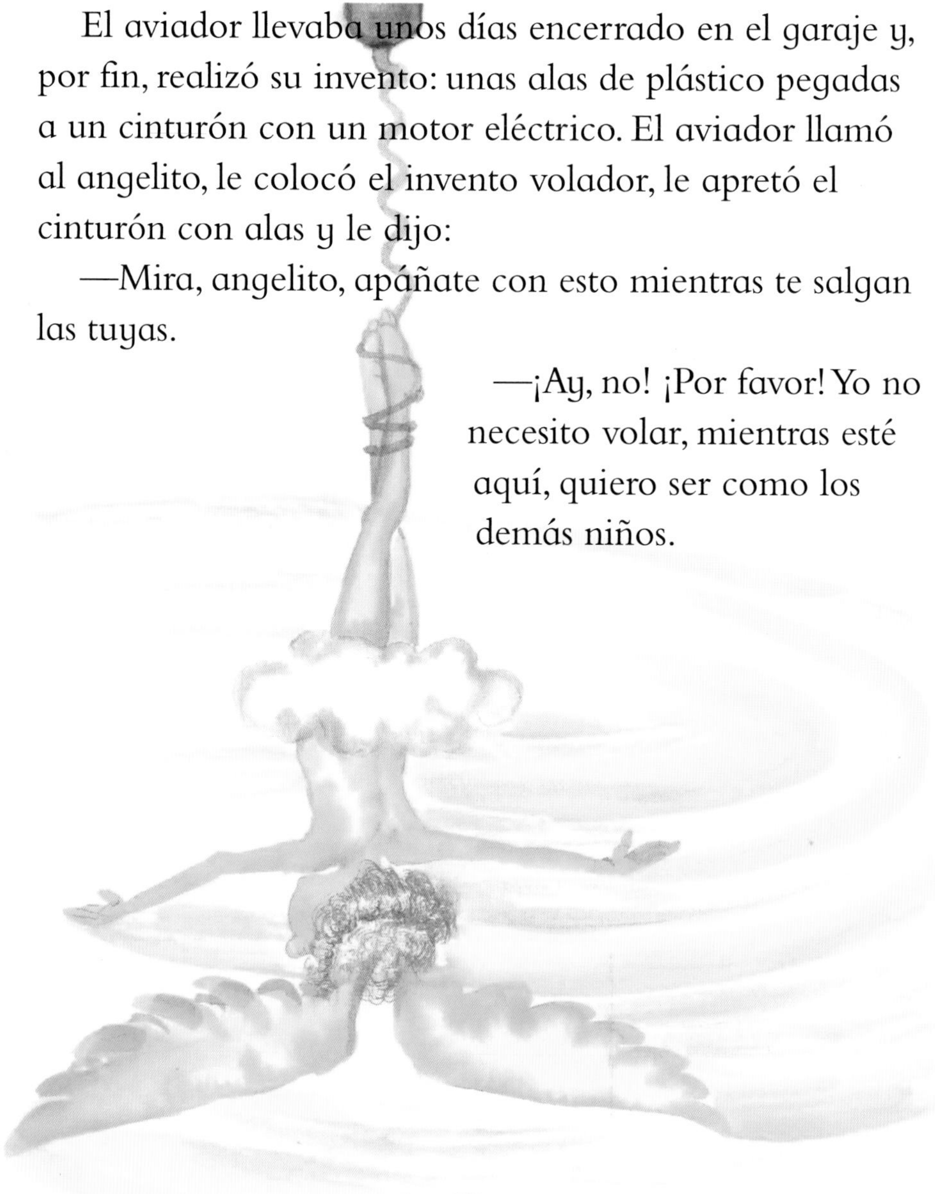

Al angelito Benito le tardaron
mucho tiempo en crecer las alas. Yo creo que
lo hizo aposta, porque cogió mucho cariño a los
niños de la Tierra. Hasta que en una Navidad,
el angelito Benito se fue volando (que era
lo suyo).

La plancha de doña Escofina

LA PLANCHA de doña Escofina vivía en la cocina.

Doña Escofina era una abuelita que no tenía dientes
ni nietos ni parientes. No tenía nada, ni muebles…
Sólo tenía años y una plancha.

También tenía un molinillo de café, un macetero
y un compás.

Un día se puso mala.

Vino el médico y dijo que no tenía nada. Que sólo necesitaba calor y leche.

—¡Calor y leche! —repitió la plancha—. Como si fuera un gato pequeño…

La plancha, por la tarde, le calentaba la cama. Por la noche planchaba la plancha las puntillas de la cofia, las blusas, el delantal. Por la mañana le calentaba la alfombrilla de la camilla, le molía el café, le apagaba el quinqué.

No era una plancha encantada, era una plancha encantadora. Sin que la vieran, trabajaba a escondidas, trabajaba a deshora; movía el cable cuando estaba contenta y se enchufaba sola.

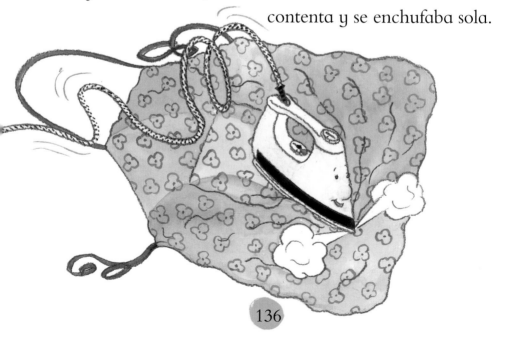

Una mañana muy fría, la plancha se despertó tiritando. Corrió a enchufarse y no se calentaba.

—¿Qué me pasa que no funciono?

La plancha se fue patinando en busca del enchufe de la radio, y nada… Trepó por la pared para tocar la llave de la bombilla, y nada…

En esto, por debajo de la puerta apareció un papel. La plancha lo leyó y lloró. El papel anunciaba que cortaban la corriente porque doña Escofina no pagaba los recibos de la luz. La plancha se llevó un disgusto tremendo.

—Pero… ¿cómo pueden hacer esto a doña Escofina? ¿En qué país vivirán? ¡Son malos!

Del berrinche se puso mala la plancha, tosía, y al estornudar ni daba chispazo. Por otro lado, doña Escofina la estaba poniendo nerviosa, porque iba y venía zascandileando por el pasillo sin parar, hasta que ¡paff!

Doña Escofina acababa de estrellar contra las baldosas su hucha: su hucha que era un cerdito de barro con flores en la tripa, donde ahorraba para su leche y el alpiste del canario.

Sonriendo, como si nada, contó las pesetillas: trescientas en total.

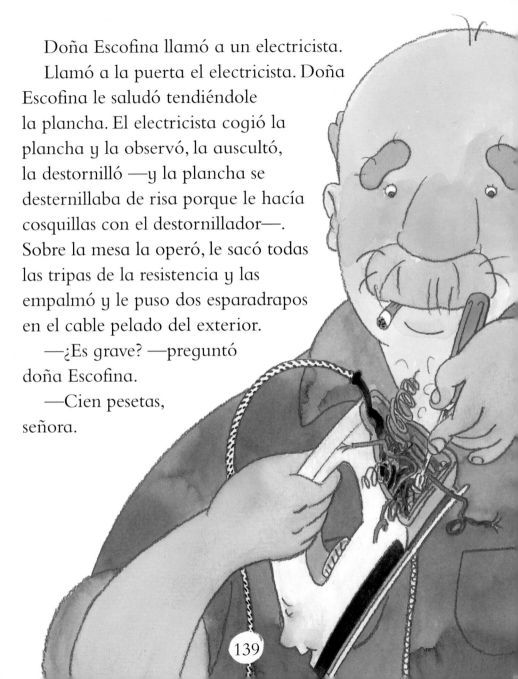

Doña Escofina llamó a un electricista.

Llamó a la puerta el electricista. Doña Escofina le saludó tendiéndole la plancha. El electricista cogió la plancha y la observó, la auscultó, la destornilló —y la plancha se desternillaba de risa porque le hacía cosquillas con el destornillador—. Sobre la mesa la operó, le sacó todas las tripas de la resistencia y las empalmó y le puso dos esparadrapos en el cable pelado del exterior.

—¿Es grave? —preguntó doña Escofina.

—Cien pesetas, señora.

Al terminar de curar a la plancha, el electricista fue muy orgulloso a enchufarla, y su cara de contento cambió a triste en un momento.

—¡Vaya plancha!

—¿Qué?

—Digo que vaya «plancha» que me he «tirao» señora. Es raro. Esto no pita… Nunca me ha pasado esto, señora. En servidor, no es corriente. ¡Ah! Claro que no es «corriente». ¡No hay corriente! Señora, usted no tiene luz.

A doña Escofina le brillaba la plata del moño.

—¿Que no tengo luz? ¡Ah, sí, claro! Mire usted, San Electricista, haga que me devuelvan la luz. Tenga usted estas pesetillas y haga que devuelvan la luz a esta viejecita que ni ve…

El obrero cogió el puñado de monedas de doña Escofina y se fue. Por las escaleras bajaba diciendo algo como que «le había tocado el veinte» o que «se había lucido».

140

Al atardecer se encendieron solas todas las luces de la buhardilla de doña Escofina.

Total, que el obrero hizo el milagro.

La plancha dio un salto hasta la mecedora y se acurrucó entre las rodillas de su ama.

Doña Escofina comía sopitas de leche y la plancha comía caricias.

—No sé si me quiere porque me quiere o porque le doy calorcito en los sabañones…

Pero la plancha volvió a estar contenta, moviendo el cable como un gato, bajo la toquilla de doña Escofina.

En el zoo

EN LA JAULA estaban una mona muy mona y su monito. Dijo la mamá mona al mirar a Paquito.

—¡Uy, qué niño tan mono!

Y la madre de Pepe contestó con cariño:

—¡Uy, qué mono tan niño!

El mono Quico

PUES, SEÑOR… Éste era un mono muy mono. Nació
en un árbol de la selva y creció en la copa de un pino.

Sus padres le enseñaron, lo primero, a comer coco;
al principio le daba miedo el coco, pero enseguida se
acostumbró y ya el coco le gustaba más que las natillas.
También le enseñaron a columpiarse con el rabo,
enganchándolo en las ramas. Y cabeza abajo se
columpiaba feliz, viendo correr a los escarabajos,
a las hormigas y a los arroyos.

Un día su papá le regañó y le tiró de las orejas porque había cazado a una mariposa y, clavándole una espina en el cuerpo, la cosió al tronco de un árbol.

—¡Toma, melón sin corazón! —le dijo el padre mono, dándole un coscorrón—. ¡Eres peor que un niño! ¡No tienes que hacer daño a nadie ni a nada! ¡Apréndete esto bien! Y… obedece. ¡Vamos con el mono éste!

Quico, el mono, lloró todo el día como si se hubiese pillado el rabo con la puerta, y luego, por la tarde, su mamá —una mamá también muy mona— le estuvo enseñando a andar sin pisarse un pie con el otro, porque Quico era un poco patoso.

Los señores monos de su calle querían mucho al mono Quico, y cuando hacía alguna gracia le solían dar cinco o diez céntimos para que él comprase cositas.

Su padre le dijo que debía aprender a ahorrar, a guardar el dinero para llegar a tener un montoncito.

—El ahorro es una cosa muy buena, hijo mío. Guarda todo lo que te den en este bote.

—¡Ay qué lata! —murmuró el mono en voz baja, y desobedeció.

Se lavó en el arroyo, se peinó la cabeza y las patas con un erizo, se puso su traje de marinerito y se fue a dar una vuelta por el bosque.

El mono Quico iba diciendo lo que se dice en el cuento de la hormiguita: «¿Qué me compraré, qué me compraré? ¡Galletas! No, que sólo me dan una por diez céntimos. ¡Nueces! No, que a lo mejor están malas y por fuera no sé adivinarlo. ¡Gusanos de seda! No, que se me escaparán. ¿Qué me compraré, qué me compraré? ¡Colonia! No, que los monos del barrio son muy brutos y se reirán al oler lo bien que huelo… Me compraré, me compraré… ¡Estampitas! No, que tengo muchas. ¡Ah, ya sé! Una caja de betún… No, no, porque yo los zapatos sólo me los pongo los domingos y casi todos llueve, sería tirar el dinero. ¡Me compraré un helado! No, que me dolerá la tripa… ¡Un caramelo! No, que me dolerán las muelas. ¡Cohetes! ¡Me voy a comprar cohetes! No, que me quemaré los dedos. ¡Ah! Ya sé lo que me voy a comprar. ¡Castañas! Castañas asadas, que dan muchas…».

Cuando ya estaba decidido, después de tanta indecisión, echó a correr por el bosque y, saltando de rama en rama, se dirigió a la calle de los castaños cuerdos, donde la cangura castañera tenía su puesto.

En el camino se encontró debajo de una palmera con un niño descalzo. Era, poco más o menos, como él de alto, pero más rubio. El niño escondía su cuerpo delgado y blanco en un traje muy viejo y con sus pies desnudos chapoteaba sobre un charco.

—¿Cómo vas descalzo? —le preguntó el mono.

—Tú tampoco llevas zapatos.

—Sí, pero yo soy mono y tú, no. Mis pies están hechos para poder ir descalzo y los tuyos no. Tú eres un niño y no sabes correr por las piedras ni por

los espinos ni por el tronco
de los árboles, y si lo intentas te
harás pupa y te llenarás de
heridas. Deberías llevar zapatos.

—Mira, mono; ya te he
dicho que soy pobre. Mi padre
sólo es leñador; hemos venido
desde muy lejos a cortar
árboles; cuando me canso,
mi padre me lleva a hombros,
pero tengo mucho miedo de
los elefantes.

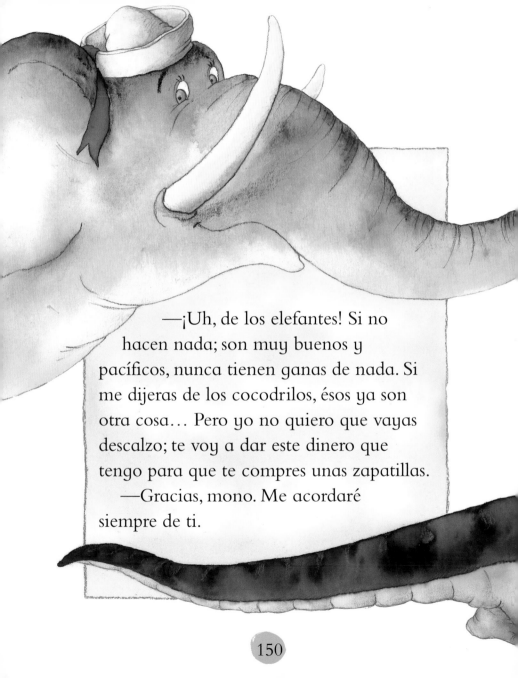

—¡Uh, de los elefantes! Si no
hacen nada; son muy buenos y
pacíficos, nunca tienen ganas de nada. Si
me dijeras de los cocodrilos, ésos ya son
otra cosa… Pero yo no quiero que vayas
descalzo; te voy a dar este dinero que
tengo para que te compres unas zapatillas.

—Gracias, mono. Me acordaré
siempre de ti.

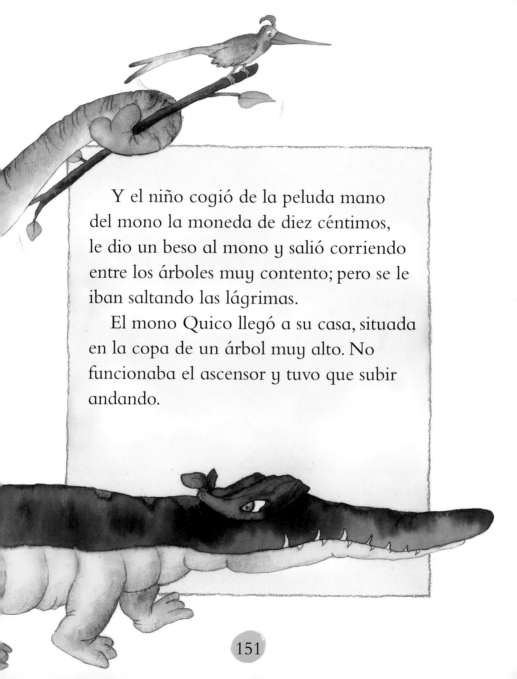

Y el niño cogió de la peluda mano del mono la moneda de diez céntimos, le dio un beso al mono y salió corriendo entre los árboles muy contento; pero se le iban saltando las lágrimas.

El mono Quico llegó a su casa, situada en la copa de un árbol muy alto. No funcionaba el ascensor y tuvo que subir andando.

—No me compré nada, lo eché en la «hucha».

La mona madre, que había visto la escena anterior, le felicitó.

—Sí, mono mío, sí; dar al que no tiene es echar el dinero que damos en una «hucha». Lo que se da no se pierde.

Entonces se dieron cuenta sus padres de que el mono Quico era un mono muy sabio.

Nuestro Quico llegó a ser presidente de la selva y todos los animalitos le querían. Hasta los tigres y los cocodrilos lo adoraban.

La gata Chundarata

HABLA LA GATA:
    —Nací en Madrid, soy gata,
soy gata neta y nata;
mi comida es una lata,
mi vida es una lata
—siempre meto la pata—
y nunca cazo rata;
y me gusta la nata,
aunque nunca mi hocico la cata.

Empezaré hablándoos de mi familia.
Mi padre era un gato pardo,
mi madre una gata fina
—yo nací con mis hermanos
en la cocina—.
Mi madre era atigrada,
muy atildada —de Valladolid—,
limpia y brillante.

Mis padres, además de guapos, eran muy buenos.
Una vez les dieron una medalla y todo porque eran muy
buenos. Así me enteré de que mi madre era premio a la
natalidad.

«¿Qué será eso de la nata…?», me dije. Yo no entendía
nada porque aún no la había probado.

Por entonces, yo con mis hermanos éramos lo menos
treinta y tres gatitos vivos.

Yo y mis treinta y dos hermanos íbamos al colegio de
doña Gatuna y llenábamos toda la clase.

El colegio estaba en el hoyo o terraplén de un solar
rodeado de casas muy altas y de un árbol pachucho que
ni tenía pájaros ni nada.

Íbamos al colegio por la noche —clases nocturnas—, porque de día los chicos del barrio nos traían fritos y no nos dejaban estudiar ni parar...

¡Es muy difícil ser gato en una ciudad!

Una noche, mi hermano Bigote y yo íbamos jugando a «saltar de ventana a balcón» cuando... oí una música muy triste. Miré desde el cristal y vi una sombra que tenía hipo.

—¡Mira, Bigote, ahí vive un niño gigante!

Mi hermano me dijo:

—No es un niño gigante, es un señor.

—Es un niño. ¿No ves que está llorando?

—También lloran los señores, Chundarata.

Chundarata se coló por el resquicio de la puerta.

—¿Qué te pasa? —le preguntó.

—Que estoy solo.

—Pero... ¿por qué lloras?

—Estoy solo.

—¿Estás malo?

—Estoy solo.

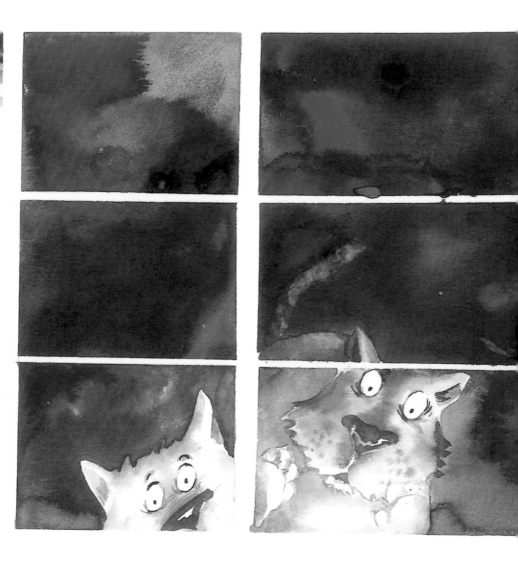

Chundarata salió de «estampía», quiero decir corriendo, más bien volando, maullando, gritando:

—¡Bigote! ¡Sígueme! ¡Tengo una idea!

Al poco rato, la terraza del señor triste se llenó de gatos.

¡Treinta y tres gatos! Más, porque también vinieron los padres Mamagata y Papagato y la abuela Albina —que aunque no estaba para muchos trotes, no quiso dejar de ir—, más los gatos recién nacidos, que llevaron como pudieron las hermanas casadas, sobrinos recientes de Chundarata.

Empezó el orfeón gatuno.

Los gatos rompieron a maullar, muy bajito, canciones folclóricas, tales como:

«Sal al balcón,
sal al balcón,
mi querida mariposa...».

El hombre triste oyó, escuchó... miró. Se restregó los ojos y no sabía qué hacer: si saltar por la terraza o llamar al médico.

Los gatos seguían cantando, seguía el orfeón y el hombre triste, desesperado, abrió el balcón y… se le llenó toda la casa de gatos.

Chundarata y Bigote saltaron a hacerle cosquillas en el cogote.

Los demás gatos invadieron sofás, cornisas, cojines, repisas…

Gata Chundarata se plantó entre los pies del hombre triste y le dijo, mirándole rabitiesa:

—Bueno, ¿qué? ¿A que ya no estás solo?

El hombre triste no contestó, como si fuera mudo, pero contestó cambiando de cara; se puso una sonrisa de oreja a oreja y un gorro, desfrunció las cejas, se fue a la cocina y empezó a abrir latas: calamares, sardinas y nos llenó todos sus ceniceros de leche.

Y el hombre triste dejó de estar solo y el hombre solo dejó de estar triste, gracias a la gata Chundarata.

Y la amistad reinó entre ellos.

Antón, el dragón

ANTÓN, EL DRAGÓN, se cepilló bien la chepa, se cortó las uñas —que ya las tenía como palas— y abandonó la soledad de la estepa.

Caminando lentamente —ni despacio ni impaciente— se dirigía hacia donde hubiera gente.

Así Antón, el dragón, apareció en una población.

Era temprano; las claritas del alba. Todos dormían.

El dragón iba despacito, sigiloso, educado; pero al llegar a la plaza, frente al ayuntamiento, puso toda su mole en pie y con el hocico empezó a tocar la campana porque le dio la gana.

No, no fue porque le dio la gana, era para avisar a la gente de que había llegado.

Toda la ciudad, en camisones, salió a la calle
creyendo que había temblores —terremoto— o fuego.

También se llenaron de caritas ventanas, ventanos y
balcones, callejuelas y callejones, y hubo epidemia de
bizcos al ver… «aquello».

Pronto los guardias le cercaron con amenazantes fusiles en sus manos: los cazadores, con delgaditas escopetas; los labradores, con palas y rastrillos…

El dragón se enroscó alrededor del pilón de la plaza y se quedó quieto.

—¡Pon, porrompón, porrompón, porrompón!

—¡Nicanor, para el tambor! ¡No toques en son de guerra! Este ovíparo viene en son de paz —ordenó el alcalde.

—¡Eso, eso! —dijo el dragón con un afirmativo movimiento de cabezota.

—¡Bravo, bravo! —gritó parte del pueblo.

—¡Es un enviado! —gritó el boticario.

—Las sales… —susurró la alcaldesa y se desmayó.

Antón, el dragón, permaneció inmóvil, escuchante y observante, porque sus ojillos —como mesas camillas— eran giratorios como los de sus hermanos enanos, los camaleones.

En esto se acercó al dragón una moza romántica y musitó (o sea, que lo dijo en voz baja):

—¿De qué lago vienes?

—De lago nada. Yo estaba preso en la presa, princesa —le respondió Antón, el dragón.

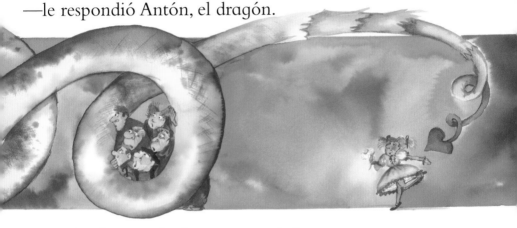

—¿Serás un príncipe encantado?

—¡De eso nada, monada! —contestó el dragón que, misteriosamente, era muy chuleta (chuleta quiere decir castizo; castizo quiere decir echado para adelante; echado para adelante quiere decir valiente y anticursi; anticursi quiere decir no anacrónico; anacrónico quiere decir que ya no se lleva).

A todo esto, Antón, el dragón, seguía observando y escuchando los diversos comentarios.

Los niños decían:

—¡Se habrá escapado de un circo! ¡Que se quede! ¡Que se quede!

Los viejos decían:

—¡Pues sí! ¡Lo que faltaba!

Las viejas gruñían:

—¡Éramos pocos y parió la salamandra!

Sólo los jóvenes palmoteaban ilusionados, como si hubiera ganado su equipo:

—¡Alirón, alirón! ¡El dragón es campeón!

A su debido tiempo, cuando apareció la luna,
el dragón bebió su agua en el pilón,
y se enroscó bien enroscado, echándose de costado,
tapándose con su rabo, que extendido era lo menos
cincuenta metros de largo.

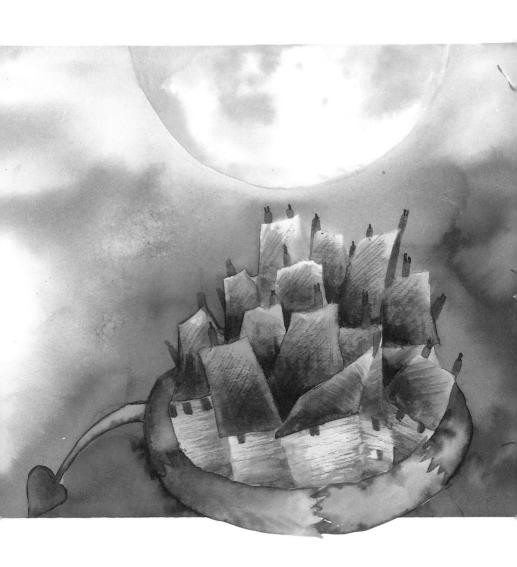

En ese momento estalló una tormenta. Una extraña tormenta. ¿Tormenta con la luna puesta y millones de estrellas tintineando?

No, era que Antón, el dragón, se durmió con la conciencia tranquila y con la boca abierta, y por eso roncaba como un tren.

—¡No le despertéis! ¡Dejadle solo! —ordenó el alcalde, que estaba hecho polvo del trajín inesperado.

A la mañana siguiente...

Apareció todo el pueblo nevado.
No podían salir los niños al colegio
ni los hombres al trabajo
ni los coches de línea
ni las mujeres al mercado...

—¡Este dragón es un cenizo!

—¡Este dragón es un enviado!

Y este dragón se despertó y empezó a echar su vaho sobre el pueblo nevado.

Empezó a echar sus llamitas, que derretían pero no quemaban; su dulce aliento, que calentaba pero no incendiaba. Y en pocos minutos, la nieve había desaparecido y, a pesar del frío, la ciudad estaba calentita, parecía el mes de mayo.

Antón, el dragón, iba de puerta en puerta, echando el vaho, y en todas las casas pobres parecía que había calefacción.

Y los niños pudieron ir al colegio
y los hombres a su trabajo,
y salieron los autobuses de línea
y salieron las flores en el campo.

Y las mujeres correteaban en el mercado.

—¡Yo he visto al dragón!

—¡Es verde el dragón!

—¡Es monstruoso, puede ser peligroso!

—¡Es un enviado! —añadió la mujer del boticario.

—¡Vendrá la televisión!

—¡Me voy a la peluquería!

Antón, el dragón, escogió la Plaza Mayor para vivir porque, aunque campeaba y callejeaba a su antojo, le atraía aquel pilón barroco.

Qué triste se puso Antón, el dragón, cuando oyó:

—¡Van a venir más guardias del pueblo vecino para que el dragón se vaya por donde ha venido!

—¡Es una injusticia —dijo doña Blasa—, pero si este dragón sólo hace bien por donde pasa!

A la mañana siguiente...

Salió el alcalde al balcón, con su cara blanca y su camisón; con su banda puesta y su banda de música, a la izquierda; el bastón de mando en la mano y el puro en la boca…

—¡Música, maestro!

A trompetazo limpio despertaron al dragón, Antón.

—¡Acérquese el acusado!

El dragón se acercó muy mosqueado.

El dragón tosió, por el humo del puro del alcalde, y al toser se le escapó una bocanada de aire limpio y calentito.

—Perdón, yo echo humo puro, no impuro de puro; señor alcalde, no contamine…

—Escuche, señor dragón, sólo se puede usted quedar en este pueblo si tiene una profesión.

—Sí, señor, quiero borrar la mala conducta de mis antepasados, que eran unos voraces batracios y, como estoy harto de echar fuego, ¡quiero ser bombero!

—¿Sabe usted escribir?

—No, señor, eso no…

—¡Pues entonces no puede ser bombero!

A la mañana siguiente...

En el pueblo hacía más que frío que nunca.
La plaza estaba desierta.
El agua del pilón era una pista de hielo.
El chorro del pilón estaba helado.
La nieve llegaba a los ventanos.
Los niños no fueron a la escuela.
Las mujeres no pudieron ir al mercado.
Los camiones patinaban y no arrancaban.
Una ola de frío y de tristeza soplaba por el pueblo.

—No nos merecíamos a Antón, el dragón —lloraba el boticario.

El dragón se había ido por no molestar.

Caminando lentamente, ni despacio ni impaciente, el dragón se dirigía hacia donde hubiera gente.

Carretera adelante iba lloriqueando —que también los dragones lloran y mucho más que los cocodrilos— cuando, de pronto, giró sobre sus pasos y enfiló morro al pueblo.

Por donde pasaba llorando, la nieve se iba derritiendo: eran lágrimas ardientes, goterones como piscinas.

Y así llegó al ayuntamiento.

El señor alcalde asomó los bigotes por el ventano.

—¡Déjeme quedar en el pueblo, señor alcalde! ¡Déjeme ir a la escuela! Yo aprendo a leer en dos días y usted me da la colocación y me quedo en el pueblo de bombero y de calefactor; si hay fuego, lo apago; si hay frío, caliento. Los niños me quieren…

—Quédese, don Antón —dijo el alcalde al dragón.

(Y creo que a la alcaldesa
le dio un soponcio y se quedó tiesa.)

—Quédese, don Antón —volvió a decirle el alcalde al dragón.

Y se quedó.

Donosito, el osito osado

DONOSO ERA UN OSO que
no crecía y por eso le
llamaban Donosito.

Vino del bosque a la población, después de su aventura con el dragón.

Donosito se enfadó con el dragón cuando el dragón grandullón le mordisqueó las orejas.

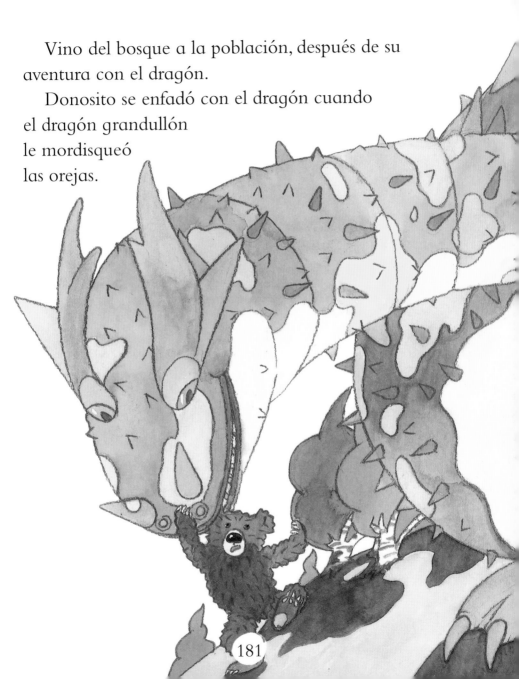

Donosito fue bien acogido en el pueblo. ¿Por qué no? Si era un oso gracioso, inofensivo y cariñoso. Un oso que jugaba con los chicos y divertía a los mayores.

Como le vieron tan pequeño, le mandaron a escuela y allí se sentaba quietecito mirando al profesor.

No sabemos si entendía, pero atendía, observaba como un búho; hablar no hablaba, pero se fijaba mucho.

En la escuela estaba el oso Donosito cuando…
El tranquilo pueblo perdió su tranquilidad. Una nube
de pajarracos cayó sobre sus calles y plazas sembrando
el pánico, picando a todo el mundo
y comiendo todo lo que pillaban.

Eran las temibles ocas locas. Nadie sabía de dónde habían venido ni cómo luchar contra ellas, pues el pueblo era muy pacífico y no tenía ni palos.

Las ocas locas se metían por las ventanas, por los corrales y por los establos ladrando peor que perros, graznando todas juntas, haciendo un ruido infernal de tormenta sin relámpagos.

Nadie podía salir de su casa, ni siquiera asomarse, porque más de un picotazo recibía en la nariz.

El maestro cerró con cerrojo la escuela para proteger a sus chicos y, aunque el reloj había dado las doce, ¡las doce de la noche!, hacía doce horas que de allí, de la escuela, no salía nadie.

185

No salía nadie pero Donosito, el oso osado, salió.

—Le voy a desobedecer, señor maestro. Usted me perdonará, señor maestro. Es la primera vez, y la única, que le voy a desobedecer, señor maestro.

Y diciendo esto, y haciendo un número de circo, Donosito se metió en la estufa, trepó por el tubo de la chimenea, salió al tejado, corrió a saltos inmensos hasta la plaza, se subió a la farola de la fuente, sacó el pecho como un Tarzán peludo… y lanzó un estruendoso estruendo.

Las ocas locas, que estaban revoloteando, se cayeron de bruces.

Poco duró el silencio. Donosito estaba acorralado por las ocas, que esperaban el momento de quitarle el «abrigo de piel» a picotazos.

—¡Hermanas ocas, hermanas ocaaaasss! —habló el osito con cariño de niño—. Hermanas ocas, os diré dos cosas: cerca de aquí hay un lugar lleno de lombrices y de fresas sabrosas, donde podéis vivir tranquilas sin hacer daño… daño… ¡Ay, qué daño!

Una oca le dio un terrible picotazo en la cabeza y le llevó el gorro de lana.

Donosito mostró sus orejas mordisqueadas, mutiladas por el dragón.

Donosito se vio en el espejo del pilón y lanzó un potente gruñido de oso feroz. Porque…

cuando a Donosito le daba el aire en las orejas (que no tenía) crecía y crecía y crecíale la fuerza y llegaba a hacerse un oso enorme de pelo en pecho.

Y así que vieron este extraño suceso, las ocas locas emprendieron la retirada, pueblo abajo, hasta perderse en la lejanía.

Poco a poco, milagrosamente, volvió el silencio al pueblo.

Donosito encontró su gorro de lana, se lo puso y volvió a su tamaño pequeño de osito normal.

Chirriaron las puertas al abrirse despacio. Volvieron a chirriar las chicharras, volvieron a cotorrear las cotorras, volvieron a cantar los pájaros y a jugar los niños.

Salió el señor alcalde, la alcaldesa, la banda de música, todo el vecindario: chicos y grandes, perros y gatos. Todos felices salieron a celebrar el feliz acontecimiento del final del peligro pasado.

Todos, felices, dieron gracias a Dios.

Donosito el héroe, el oso osado, dio gracias a Dios juntando sus zarpitas, y nunca dijo a nadie que fue él el que hizo huir a las ocas locas.

El oro del moro o cómo espantar a los ladrones

Los LADRONES entraron en la tienda a robar el oro del moro y salieron muertos de risa. El oro del moro era que siempre estaba contento.

El moro les regaló una cometa y les contó unos chistes.

Los ladrones salieron con las manos vacías y con la boca llena de risas.

Y es que…
Se puede ser rico
con una peseta,
con una sonrisa,
con una cometa.

Ríe, ríe, ríe,
no seas borrico,
con una sonrisa
se puede ser rico.

El burro no ríe;
si mueve el hocico,
rebuzna muy serio,
el pobre borrico.

Nada le hace gracia.

Como muchos hombres
no sabe el borrico que,
con una sonrisa,
se puede ser rico.

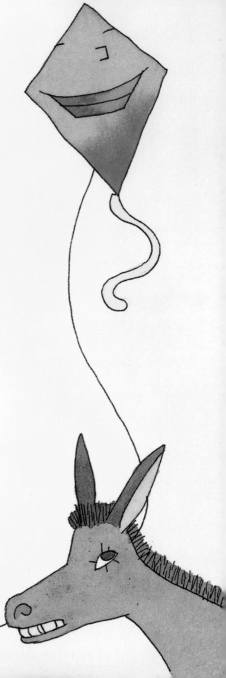

El pez raro

Esto era… en el fondo del mar.

Un pez decía a otro pez:

—Tengo sed.

—¿Qué le sucede?

—¿Cómo se atreve?

—dijo un percebe—.

Este pescado se ha vuelto loco
o le falta poco,
¡dice que tiene sed!

—Sí. ¡Tengo sed! —dijo el pez.

—Pues saca la cabeza del agua y ponte a beber.

—Si meto la cabeza en el agua me ahogo —dijo el niño.

El niño era un niño que iba con Manolón en su barca.

Manolón vio al pez «sediento» y no lo quiso pescar, y le dio a beber agua de la tierra con un cubo y le hizo siete fotografías, porque Manolón era un estudioso de peces raros.

¡Y bien raro es el pez
que dentro del mar tiene sed!

El patito guapo
y su pluma mágica

EL PATO GARABATO era muy guapo,
pero siempre estaba de mal humor y a todo decía no…
Y al arrugar la frente, se le juntaban los ojos;
y al enfadarse, se le arrugaba el pico
y el patito guapo se volvía feo.
Un día llovía y llovía, y así se pasó todo el día.
La lluvia y el fuerte viento arrastraron al patito río
abajo y, aunque el patito sabía nadar, no le valió de
nada…

Al otro día por la mañana, una niña encontró
al patito entre unas piedras de la orilla.
Le cogió y le secó con su jersey.

—¿Qué te pasa, pato? —preguntó la niña.

—Que estoy de mal humor y tristón.

—Sí, tienes mala cara, pareces un pato mareado.
¿Cómo te llamas, pato?

—Me llamo Garabato.

—Pues, ponte alegre, Garabato, porque un pato triste es un triste pato. ¿Quieres jugar un rato?

—Bueno. Porque me has salvado la vida.

—No, sólo te he secado.

—Me has salvado la vida porque me has quitado el mal humor y, a cambio, ¡arráncame una pluma!

—¡Pero pato!

—Sí, obedece, arráncame una pluma del ala izquierda, llévala siempre contigo y, cuando desees una cosa, escribe con esa pluma la cosa que desees y el deseo será atendido.

La niña se fue a su casa y casi no podía creer lo que le había sucedido.

La niña escribió con la pluma del pato:

cuentos,

y apareció una biblioteca.
La niña escribió con la pluma del pato:

bicicleta,

y apareció una bicicleta.
La niña escribió con la pluma del pato:

raqueta,

y apareció una raqueta.
La niña escribió con la pluma del pato:

galleta,

y apareció una caja de galletas.
La niña escribió con la pluma del pato:

poeta,

y apareció Gloria Fuertes.

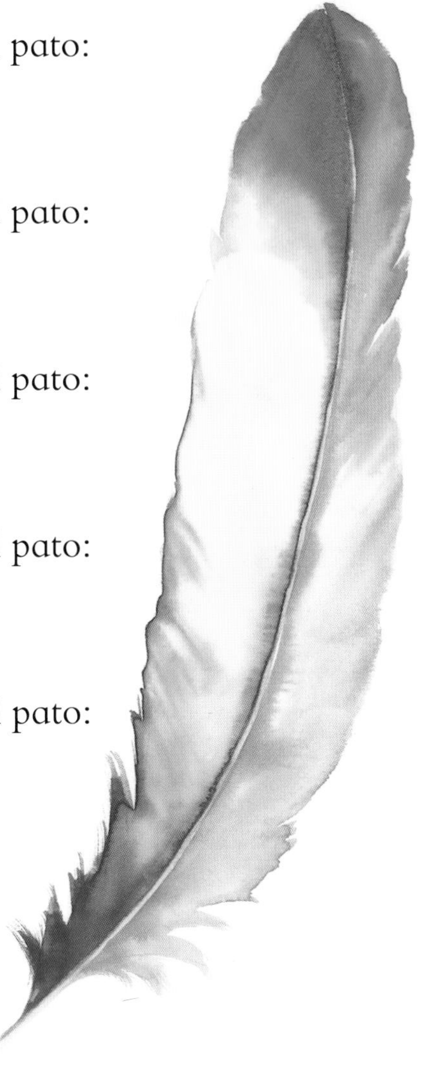

Cuentos de personajes que saben lo que quieren

Moncho y Pío
encuentran a su tío

COGIDOS DE LA MANO, iban Moncho y Pío a encontrarse con su tío.

Ya sabéis que Moncho y Pío se querían mucho,
se llevaban
muy bien,
eran como uña
y carne,
mejor
dicho,
como uña
y pelo.

Por cierto, hablando de uña y pelo, Moncho dijo:

—Ven aquí que te corte las uñas, Piíto, que me traes fritito. Cuando me das la mano, me arañas la palma. También te voy a cortar el pelo por detrás de las orejas, te da calor y te quita belleza. ¿Quieres que te deje melenita de león o de Colón?

—Prefiero de oso, no soy caprichoso.

—¿Te corto el flequillo para que parezcas un chiquillo?

—¡Haz lo que quieras, Moncho, pero pronto! Me estoy poniendo nervioso, como un oso enjaulado. Vamos a llegar tarde a la estación de trenes.

—Es que quiero que te vea guapo tu tío, Pío.

—Si llegamos tarde no me va a ver.

Se pararon junto a un arroyuelo, para refrescarse las patas y arreglarse los pelos.

—¡Venga, Moncho! ¡Vamos! ¡Corre!

A los pocos minutos de llegar a la estación de Animalandia, unos pitidos anunciaron la llegada del tren.

Pero ¡qué tren! En vez de decir «¡Piii! ¡Piii!», como todos los trenes, decía «¡Pip, Pío, que llega Osopío!».

El tren venía a tope, lleno, lleno, lleno; más que un tren parecía el «Arca de Noé».

Cientos de animales de todas las especies, clases y plumajes se asomaban por las ventanillas o empezaban a bajarse en marcha, mientras los plumíferos salían volando.

En la estación no cabía ni un alfiler y el tío de Pío sin aparecer.

Por fin, en las escalerillas del último vagón, apareció…

Apareció un humano con chistera, rostro y bigotes retorcidos, pantalón de montar y chaqueta de pingüino.

—¡Mira, Pío! ¿Es ese tío tu tío?

—No, Moncho. ¡Qué va a ser! Mi tío es un oso de pelo en pecho, más alto que tú y más peludo.

Al decir Pío «peludo», toda la puerta del vagón se llenó de pelos, quitando dos ojitos relucientes y un hocico color de rosa.

—¡Pío! ¡Mi Pío! ¡Pío mío! —gritó la masa peluda.

—¡Pío! ¡Tío Osopío! ¡Bienvenido, tío!

Y en un abrazo familiar se besuquearon tiernamente.

—Mira, tío Osopío, aquí mi amigo Moncho, del que ya te hablé.

—Oh, Moncho, sé que eres para mi sobrino como un hermano; por lo tanto, llámame tío.

—Sí, tío.

A todo esto, el tío del bigote retorcido, que no dejó de mirar a Moncho y a Pío, se despidió para recoger el equipaje.

Los tres ositos se sentaron en el bar de Animalandia, a tomar unas frutas y a charlar.

—Tío —dijo Pío—, ¡qué collar tan brillante tienes!

—Es para que se me vea mejor.

—Tío –dijo Pío—, ¿esas piedras preciosas son preciosas o de mentirijillas?

—Son piedras falsas, sobrino, pero brillan igual con los focos.

—¿Qué focos? —preguntó Moncho, mosca.

—Eso os lo explicaré más tarde. Tengo una gran noticia que daros: quedaos conmigo, será una gran sorpresa. Ahora disimulad, hablemos de otra cosa, que regresa mi representante.

(El representante era el tío del bigote retorcido.)

—Bien, hermosos osos, nos espera el taxi.

El taxi era un coche de cuatro caballos, pero caballos de verdad.

El taxi se paró en medio del campo ante una casa muy rara, puntiaguda, con redes de tela.

Anochecía. En el letrero luminoso se leía: Circo Ko.

Moncho y Pío entraron bajo la lona con algo de susto.

—Pasad a mi cuarto —dijo tío Osopío—, aquí vivo tranquilo.

En la habitación había mucha paja en un rincón, restos de comida, en otro, y un gigantesco columpio de madera.

—¿No te molesta el collar, tío? —preguntó Moncho por decir algo.

—No, ya no me molesta, me he acostumbrado; peor era el collar de antes, que era una cadena de hierro. Cuando me dieron el diploma «Domesticado», porque saqué buena nota en el examen de trapecio, me quitaron la cadena y me dejaron suelto.

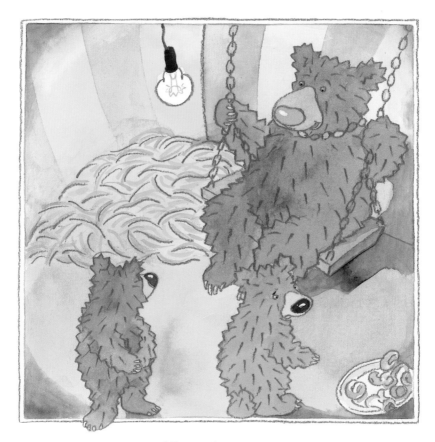

—Sí, pero no eres libre, tío.

—Según lo mires, sobrino. Si no tienes
preocupaciones, eres libre. Aquí en el circo nada
me preocupa. No tengo más que hacer que sentarme en
una silla durante la función, saltar sobre una tabla
y bailar el vals de las olas. Después como bien, duermo
bien y no me falta de nada.

—Sí, pero eso no es vida para un oso, tío, no eres tú.

—¿Cómo que no? Aquí en el circo hago el oso, soy quien soy.

—No me convences, pierdes el tiempo, tío Osopío.

—Yo estoy de acuerdo con Pío —dijo Moncho.

—¿Que pierdo el tiempo? Todo lo contrario. Trabajo. Divierto a los niños. Los niños me quieren. Los niños me conocen. Allí, en el bosque helado, a ver ¿qué niños me conocían? Me gusta ser oso de circo. Además, aquí no pasa frío tu tío y ya voy para viejo. Y ahora… Bueno, ahora llegó la hora de daros la gran noticia, ¡la gran sorpresa! En el circo Ko hacen falta osos. Y mi representante y jefe os quiere contratar.

—¡Ni hablar! ¡Ni hablar!

—¿Qué quiere decir «ni hablar»?

—Quiere decir lo que quiere decir, que ni hablar de ello. Y vámonos, Pío, que no llegamos al tren del Bosque-Hermoso.

—Sí, sí, vámonos, Moncho, antes de que nos amaestre el tío de los bigotes.

—Adiós, tío Osopío —dijo triste Pío.

Moncho salió volando sin decir ni pío.

Y así fue como Moncho y Pío se encontraron y se despidieron de su tío Osopío, y se volvieron al bosque asturiano, que era lo suyo.

La gallina que no sabía poner huevos

LA POBRE GALLINA, de pluma roja y pata fina, no sabía poner huevos.

En vez de poner huevos, ponía ya tortillas calentitas, deliciosas. Los dueños de la gallina pusieron un restaurante que se llamaba:

LA GALLINA DE LAS TORTILLAS DE ORO

Los amos de la gallina y el pueblo entero dejaron de tener hambre, porque las tortillas no costaban un huevo, costaban menos de un huevo. Los amos engordaban y la gallina entristecía.

La gallina está triste.
¿Qué tendrá la gallina?
Está harta la gallina
de vivir en la cocina.

La gallina quería ser una gallina como todas, quería tener pollitos y no tortillas y, un día, se lo dijo a sus amos: que se iba.

—¡Por favor, gallinita, no quieras ser gallina vulgar y corriente, que nos arruinas! ¡No nos abandones! Eres famosa, has hecho al pueblo feliz y famoso, has salido en la «tele». ¿Qué más quieres? No te vayas, gallinita, que nos dejas en la ruina. Yo te daré más maíz y algarrobas, que sé que te gustan…

—No insistas, ama, me voy mañana. Primero me voy al médico porque estoy malita. Esto que me pasa es muy raro: no me encuentro bien, estoy cansada de quemarme las plumas de la cola al «poner» las tortillas. Me voy al veterinario a ver qué me dice. Si me cura, vuelvo.

La consulta del veterinario parecía el Arca de Noé.
Burros cojos, cerdos gruñendo, vacas sin leche, perros tristes,
gatos rabiosos, cabras tosiendo y ovejas con garrapatas.
En aquel ambiente la gallina tuvo que hacer cola
y, escondida debajo de una silla, protegiéndose de la tos
latosa de la cabra, pensaba: «Esto está lleno de microbios,
aquí "cojo" yo algo. Va ser peor el remedio que
la enfermedad».

Por fin llegó su turno y la gallina entró en la consulta. El médico le dijo, nada más verla:

—Estás muy gorda, gallinita, tienes mucha grasa.

El médico cogió a la gallina y la puso sobre una mesa.

—Pobre gallinita, tienes mucha grasa y tienes mucha fiebre. Te falta calcio y, con el calor de la fiebre que tienes dentro de ti y la falta de cal, escachifollas la cáscara, y el huevo sale frito o en tortilla. ¿A que sí?

—Sí, doctor, ¿cree usted que me curaré? Doctor, quiero ser madre.

—Para ser madre, tienes que pasar hambre.

—Lo que usted diga, señor veterinario.

—No te voy a mandar medicinas, solamente tienes que comer menos, pasar hambre, picotear cal tres veces al día. Si adelgazas, te pondrás buena y tendrás pollitos como cualquier gallina.

—Gracias, doctor.

La gallina de las tortillas de oro volvió con sus amos.

—¡Bienvenida! ¡Qué alegría!

—Lo siento, no alegraros —dijo la gallina—, se acabaron las tortillas; no os voy a hacer ningún gasto. Tengo que adelgazar, me voy a encerrar en el gallinero, tengo que estar sin comer hasta enero. Y después os pondré huevos y tendré pollitos, que es lo que quiero.

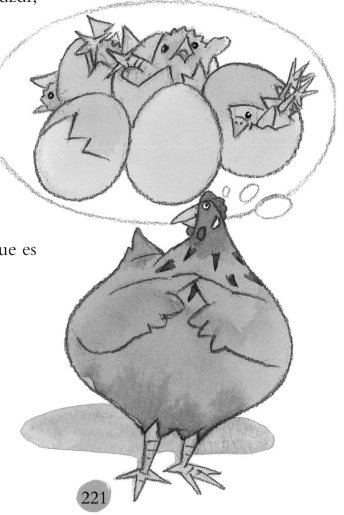

Roelibros

ROELIBROS ERA UN RATÓN intelectual,
se «comía» los libros
como rosquillas.
Roelibros era un ratón,
con blanco delantal
y blanco pantalón.

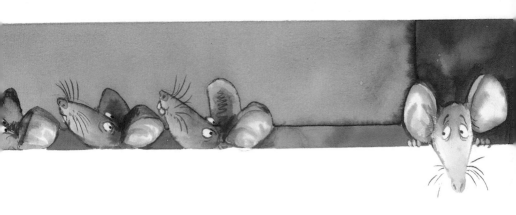

Como era muy listo en la escuela, la maestra le puso el primero en la primera fila de pupitres. Pero, como raro era el día que sus compañeros no le pisaban el rabo, la maestra le tuvo que poner el último, en la última fila. Roelibros lloraba amargamente, mientras roía su lápiz, para sacarle punta. El ratón, como sabía que era listo, quería llegar a ser inteligente. Se comía un librito al mes y un cuaderno a la semana.

Se fijaba tanto, hacía que «leía» tanto que, a los tres meses de edad, le tuvieron que poner gafas y le dieron una beca (dinero para pagar sus estudios) en Ratilandia.

La nueva escuela era la vieja biblioteca de la ciudad.

Las ratas eran gordas e incultas como vacas.

Roelibros ni las miraba. Se pasaba el día, roe que roe, tomo que te toma.

—Los libros no se comen, se leen.

Y no sólo se leen. Se tienen que entender.

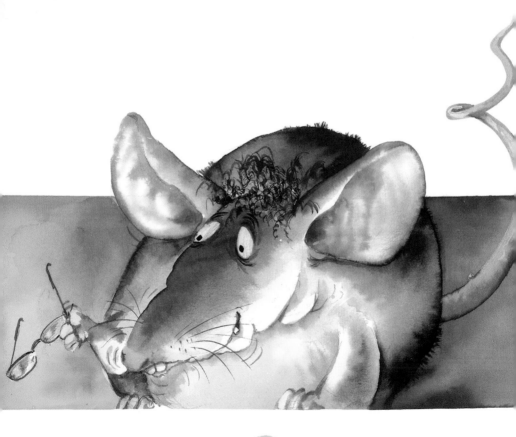

El ratón Roelibros abrió mucho los ojos, estiró mucho las orejas y dijo a la rata sabia:

—No te vayas, rata sabia. ¿Quieres ser mi maestra? Enséñame a leer, enséñame a entender.

Paki, la rata sabia, dijo que bueno…

Y el ratón Roelibros no dejó de ser un ratón de biblioteca pero ahora no roía los libros, los estudiaba y los entendía y llegó a ser como un niño aplicado.

Tener una rata sabia por maestra da muy buen resultado.

El hombre que sabía volar

UN SEÑOR llega al circo.

—Buenas. Vengo a pedir trabajo.

—Y usted, ¿qué sabe hacer?

—Yo sé hacer el pájaro.

—Eso lo hace cualquiera.

—No, señor, no lo crea.

—Déjeme en paz. Tengo mucho que hacer esta mañana.

Y el pobre hombre que buscaba trabajo salió volando por la ventana.

El niño y el pez

—¿CÓMO TE LLAMAS, pez?
—Me llamo Anfibio Aletas
para servirle a Neptuno y a usted.

—¿Qué respiras?
—Agua, si respiro aire me ahogo.
—Yo tengo pies y manos.
—Yo tengo escamas y branquias.
—¿Dónde vives?
—En el fondo del mar, matarile, rile, rile.
—¿Dónde están las llaves? Matarile, rile, ra.
—¿Cómo eres?
—Soy rojo como las amapolas.

—¿Eres poeta?

—No, soy Anfibio Aletas.

—¿Qué comes?

—Como a los peces más pequeños que yo.

—¡Qué pena! ¿No tienes más remedio?

—No.

—¡Qué barbaridad!

—Tú también comes corderitos y cerditos más pequeños que tú.

—Pues es verdad…

Nota: **No me explico por qué el pez grande se come al chico.**

Diálogo con Pinsiete

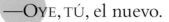

—Oye, tú, el nuevo.

—¿Cómo dices que te llamas?

—Me llamo Pinsiete, soy primo de Pinocho.

—Este niño está tonto.

—No estoy tonto. Hay ya tanto tonto, que yo no quiero ser un tonto más.

—Este niño es un petardo pedante.

—¿Pe… qué?

—Pe-dante.

—Dante, Dante fue un poeta importante, nació en Florencia en 1265; se enamoró de Beatriz y se parecía a mi primo Pinocho en la nariz. Y escribió ¿La Divina…? ¿La Divina…?

—No, no lo adivino, empollón, que eres un empollón.

—Sin insultar, Manuel Vicente. Este niño es excelente, quiere estudiar para inteligente —dijo el maestro.

Y todos los chicos,
en un periquete,
se hicieron amigos
de Pinsiete.

Conversación entre moscas

ESTO ERA UNA MOSCA que se posó en una calva
reluciente y empezó a patinar y a patinar, y dijo a las
otras moscas:

—¡Echad serrín,
que me mato!

El camello que quería ser jirafa

El CAMELLO ERA el más guapo de todos y el de mejor figura, porque sólo tenía una chepa en vez de dos como sus hermanos.

—Miradle. ¡Qué aire de suficiencia, qué gesto de inteligencia, qué andares de pato mareado!

Cuando le preguntaron:

—¿Qué quieres ser cuando seas mayor?

El camello contestó:

—Quiero ser comenubes.

—¿Comenubes? ¿Y eso qué es?

—Que quiero ser jirafa.

—¡Vete al Congo, niño!

Y se fue al Congo, a estudiar en la Universidad de Jirafología.

El camello se cepilló toda la piel, se peinó los pelos del lomo y salió de viaje.

En la chepa llevaba todo su equipaje: ropa, comida y dos libros de cuentos.

Se apuntó a las clases del Curso Inicial, que le obligaron a comer plátanos para estirarle el cuello.

En otra clase, los flamencos pasilargos le estiraban las piernas a base de estirones y picotazos.

Por la tarde tenía que ir a Tintolandia, donde le enseñaban los misterios de la química y aprendió a teñirse el pelo con manchas leopardinas, imitando las que lucen las jirafas.

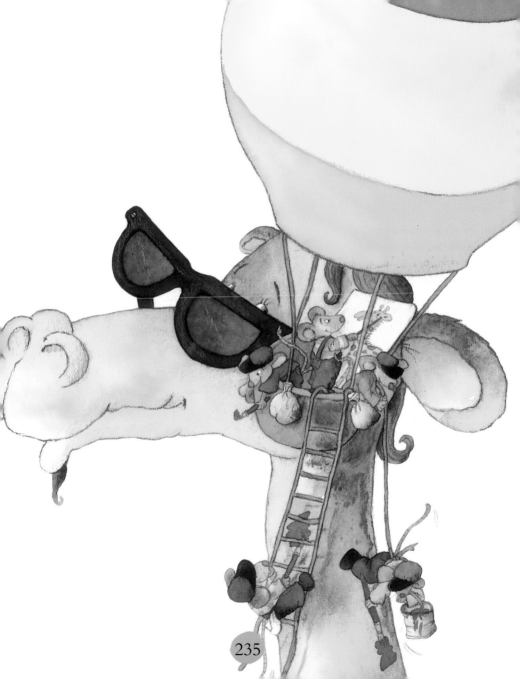

235

Un día, jugando un partido de coco entre su colegio y el del bosque, un corpulento elefante le dio un trompazo con la trompa, y con tan buena fortuna, que aquella carota de camello inocente que tenía le empezó a disminuir hasta que se le puso cara de pato —que es lo más indicado para jirafa— y dos chichones en forma de cuernos le aparecieron sobre la frente.

Comenubes,
la jirafa camelloleoparda,
con sus pequeños cuernos
toca el arpa.

Y al atardecer, tenía que soportar sobre su espalda curva media tonelada de moscas muertas —que pesan más que vivas— para planchar y replanchar su única chepa; a pesar de esto, en el examen final, el catedrático hipopótamo —que tenía fama de «hueso» — por poco no le suspende por chepita; pero nuestro ayer dromedario estiró cuanto pudo su gaznate y lamió la calva del profesor.

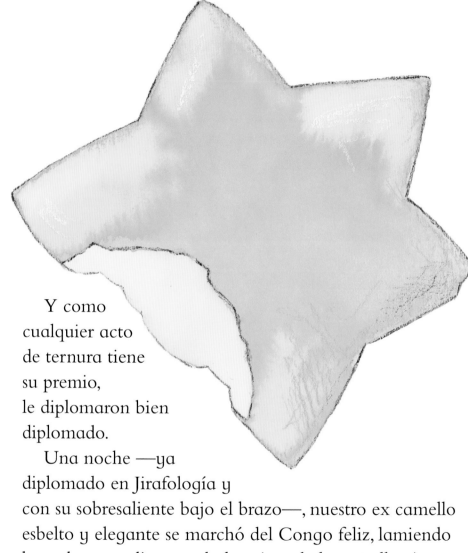

Y como
cualquier acto
de ternura tiene
su premio,
le diplomaron bien
diplomado.

Una noche —ya
diplomado en Jirafología y
con su sobresaliente bajo el brazo—, nuestro ex camello
esbelto y elegante se marchó del Congo feliz, lamiendo
las nubes, mordisqueando los picos de las estrellas (que,
realmente, era para lo que quiso ser jirafa).

La niña exploradora

CUANDO YO ERA exploradora
con sombrilla y cantimplora,
en el desierto desierto
me perdí.
Me quedé
sin provisiones
y ya veía
visiones,
mejor dicho,
no veía
pues la arena,
que el viento
levantaba,
me cegaba.
¡Madre mía!

…Andando, andando me encontré un oasis con tres palmeras y un letrero que decía:

Restaurante de primera

Un oriundo ciudadano
me leyó el menú africano:
—Especialidades de la casa: Mermelada
de hormigas. Saltamontes salteados.
Gusanos fritos. Grillos escabechados.
Tortilla de arañas. Chicharros a la brasa.
Ensalada de mariposas. Helado de orugas.
—En vista de lo visto, pido pisto.
Y me trajeron un clavel
y un bocadillo de anchoas.
Como no tenía dinero,
les dejé la cantimplora.

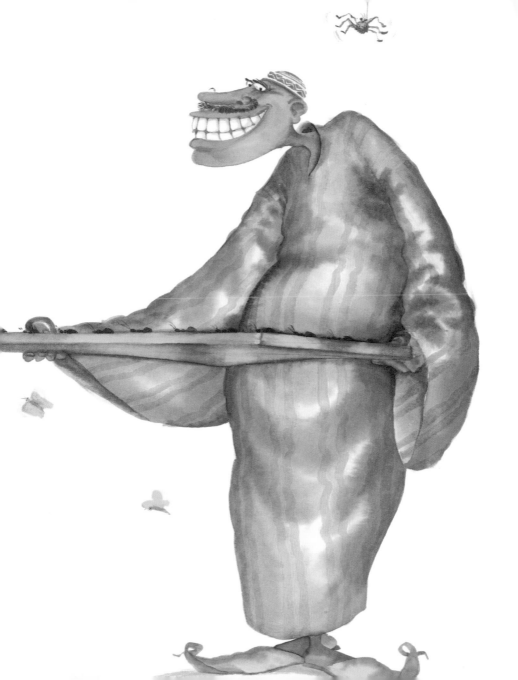

Después del bocadillo de anchoas,
se pasó una semana sin comer una servidora.
Aparqué mi camello, que se moría de sed,
y continué andando desierto a través…

…Me despabilé cuando dos hombres vestidos de blanco, con guante blanco y gorro blanco, me cogieron en brazos y me sentaron ante una mesa… Yo creía que me iban a operar…

En las paredes había muchos letreros que decían:

EL OASIS, TASCA

Delirio, deliro.

—¡No puede ser verdad tanta ventura
en esta aventura!

—Señorita, la carta.

—¡Anda! ¡Tengo carta! ¡Qué raro! ¿Cómo sabrá la gente que estoy aquí?

—La carta es el menú. Pero lea, lea. ¡Menudo menú! Pida lo que quiera, ilustre invitada. De nada.

Y después… Y después… vino el médico y me encontró al revés.

—¿Qué sucedió?

—Se moría de hambre.

—¡Pobre criatura! Ahora se va a morir de hartura.

No. Esta vez no era eso de mermelada de hormigas, tortilla de araña…

Esta vez estaba cerca de España.
No recuerdo lo que pedí,
pero jamás olvidaré tanto como comí.

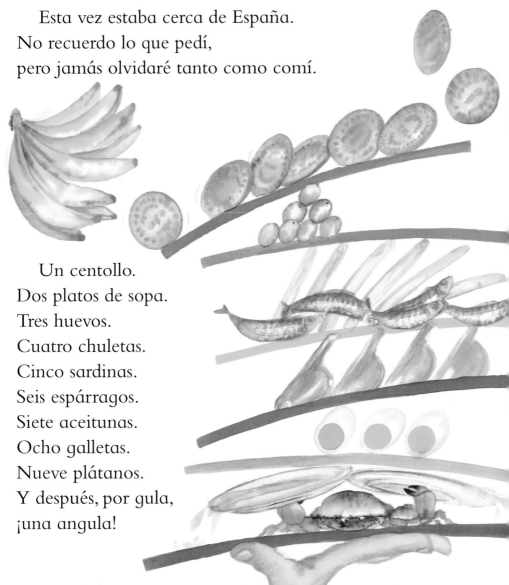

Un centollo.
Dos platos de sopa.
Tres huevos.
Cuatro chuletas.
Cinco sardinas.
Seis espárragos.
Siete aceitunas.
Ocho galletas.
Nueve plátanos.
Y después, por gula,
¡una angula!

La niña exploradora
se llama Dora.

Dora, la niña exploradora,
en un pueblo marítimo del sur
de España se embarcó en un
barco de pescadores. Dijo a los
pescadores que les daba cinco mil pesetas
si la llevaban hasta un lugar de África porque allí
la esperaba su tía misionera.

Dora embarcó en el barco.
Los pescadores no eran
pescadores, eran
piratas. Nada
de pescar.
Transportaban
hierbas.

Como Dora
no sabía estar
sin hacer nada,
les pelaba las
patatas, les lavaba
la ropa.

Un día, una fuerza misteriosa empujó bajo las aguas el barco hacia arriba.

El barco empezó a tambalearse como un columpio.

¡Era el gran pez! Era una ballena. Vacía iba, sólo algunos percebes incrustados en su lomo.

El gran pez la tomó con el barco e intentaba volcarlo.

—¡Dame el fusil acuático! —gritó el patrón.

—¡Dame los dardos gordos! —volvió a gritar el patrón.

El patrón disparó y el agua azul del mar se convirtió en roja.

El patrón sacó su pañuelo de cuadros y se puso a llorar.

—Yo creía que los piratas no lloraban.

—Pues ya lo ves, Pitusa. Yo lloro —dijo, gimoteando, el patrón—, aunque en este caso ha sido en defensa propia, no me gusta matar a una sardina y menos a una ballena.

Llegaron al puerto de Togo y allí tomó tierra Dora, la exploradora. En el mismo puerto, dudó si alquilar un camello o un coche todoterreno para atravesar el desierto por segunda vez.

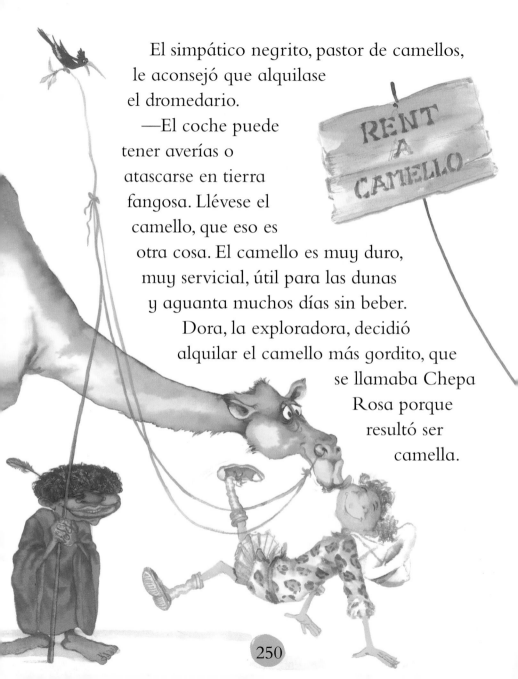

El simpático negrito, pastor de camellos, le aconsejó que alquilase el dromedario.

—El coche puede tener averías o atascarse en tierra fangosa. Llévese el camello, que eso es otra cosa. El camello es muy duro, muy servicial, útil para las dunas y aguanta muchos días sin beber.

Dora, la exploradora, decidió alquilar el camello más gordito, que se llamaba Chepa Rosa porque resultó ser camella.

RENT A CAMELLO

A las diez horas de
cabalgar, Dora se dormía
viva y no conseguía parar
la camella para bajarse de la
chepa, hasta que se le ocurrió enseñarle
la cantimplora de agua y la camella
se paró en seco.

Pero la camella no se echaba
ni a la de tres y Dora no se podía
dormir a esa altura y sin respaldo.
Decidió dejarse escurrir, chepa
abajo, dar un saltito y así
llegó hasta la arena.
Extendió una manta y se echó
a dormir a los pies de la camella.

A los pocos minutos, unos ruidos atronaron el desierto.
Eran entre rebuznos de burro y ladridos de perro sin
parar. Y los bramidos salían de la bocaza de la camella.

—¡Madre del amor hermoso, qué viaje tan horroroso!
—exclamó Dora, la exploradora.—. ¡Jolín! ¿Qué le
pasará ahora a la camella?

Dora le dio más agua —expuesta a quedarse
ella sin ella—. Poniéndose de puntillas,
le acarició el hocico y nada. La camella
seguía berreando.

El silencio del desierto es el mayor silencio de todos los silencios, que ahora estaba roto por los gruñidos de la camella.

Tanto duró el gemido que, del oasis cercano, llegaron veloces una pareja de monos haciendo monadas.

—¡Hola, chica! Me llamo Mona Lisa —dijo la mona.

—Y yo me llamo Mono Chito —dijo el mono—. ¿Podemos ayudarte en algo?

—No sé en qué, titis. Únicamente quiero callar a esta camella loca.

—Hay que procurar que se eche, así descansará. Estará enferma.

Ni loca ni enferma,
la camella iba a tener
un camellito.

A la luz de la luna —que
gracias a Dios era luna llena—,
tuvo a su camellito la camella.

El nuevo animalito, color de
arenas, era lo más bello y
maravilloso que había visto
Dora sobre la tierra.

La camella Chepa Rosa,
nada más soltar a su cría, se
puso de pie y empezó a besar
y a lamer a su camellito. Y
enseguida éste, ágil y alegre,
empezó a caminar.

—¡So! ¡Sooo! —gritaba
Dora, que aún no se había
subido a sus lomos.

Una hora le costó subirse en
marcha.

—¡Madre del amor hermoso,
qué viaje tan horroroso!

El nuevo camello seguía a su madre, tropezando y trastabillando sus patas largas y delgadas.

La pareja de monos seguía a Dora, montada en su trono.

La camella Chepa Rosa se paraba cuando le daba la gana para que la camellita mamara.

¡Y así durante tres días!

Y a los tres días a Dora,
la exploradora, se le acabaron
las frutas y los bocatas y tuvo
que empezar a ordeñar a la
camella para no morir de hambre.

Con un cubito de plástico y, arrodillada como dando
gracias, ordeñó a la bella camella.

A los tres días,
¡por fin!,
llegaron
al poblado
donde estaba la misión
en la que trabajaba su
tía misionera.

—¡Dios mío!
¡Dora, Dorita!
¡Mi sobrina! ¡No
lo puedo creer!

La tía monja
se arrodilló, dando
gracias.

—¡No puede ser!
¡No puede ser!

—Sí puede ser, tía, tiíta.
Levántate, tía. La que se tiene
que arrodillar es la camella; si no,
no me puedo bajar de esta altura
hasta que la camella no se eche.

La tía misionera acariciaba a Dora.
La camella acariciaba a su camellito.
Dora acariciaba a su tiíta. Los monos
se acariciaban entre ellos. Era una
escena digna de ver. Una
estampa llena de poesía.

Cuentos pacifistas y ecologistas

El león que no sabía rugir

El LEÓN no sabía rugir.
El león no sabía morder (era vegetariano).

Se pasaba el día lamiéndose las uñas y la noche, peinándose la melena. El león se llamaba Leonardo. Leo porque era muy león y Nardo porque era muy limpio.

Un buen día (mal día para el león Leonardo), iba andando, andando tranquilamente, cuando cayó, de repente, en la trampa de los cazadores.

El león quedó preso en un hoyo dentro de una red de colores.

Los cazadores le encerraron en un camión y, a través del desierto, que estaba desierto, llegaron a la ciudad y allí vendieron al león al dueño del circo.

—Lo primero, empezar a domarle —dijo el dueño del circo al forzudo domador.

El domador, con mucha precaución (no conocía
a la fiera) y con miedo disimulado,
entró en la jaula del león Leonardo;
en una mano, una silla y en la otra, un látigo.

Latigazo va y latigazo viene,
empezó la doma.

—¡Ajj, ajj! ¡Ven aquí! ¡Ajj, ajj!
¡De pie! ¡Ajj!

«Este tío se cree que me llamo
"¡Ajj!"», pensó el león.

—¡Ajj, ajj! ¡De pie! ¡Venga!
¡Ajj, ajj!

El león, ni caso.

A los pocos minutos, el león Leonardo decidió abandonar el rincón de la jaula, molesto y nervioso por el ruido de los latigazos y por los gritos del domador, e iba y venía de una esquina a otra de la jaula.

—¡Ajj, ajj! ¡Ar, ar! ¡Ven aquí! ¡Aquí! ¡Ajj! ¡Al centro! ¡Ven! *¡Come here! ¡Come here!* —gritaba el domador en inglés. Y ni en inglés.

El león Leonardo, aburrido,
se fue a una esquina de la jaula
y se echó encogido.

El domador dejó de dar latigazos al aire
y empezó a dárselos al pobre animalito.

—¡Qué bestia es este tío! —dijo Leonardito.

A las dos horas, el domador salió de la jaula, sudoroso y enfadado.

Al día siguiente, volvió el domador ante el león Leonardo, empezó la clase de doma y volvió a suceder lo mismo.

Leonardo, el león,
no se movió de su rincón.

Latigazos y silletazos, las cuatro patas de la silla le golpeaban la cara.

«Este tío bruto me va a sacar un ojo», pensaba Leonardo, pero ni rugía ni se movía. —¡No te canses, hombretón, que tú no te vas a lucir a mi costa en la función! —decía Leonardito por lo bajines.

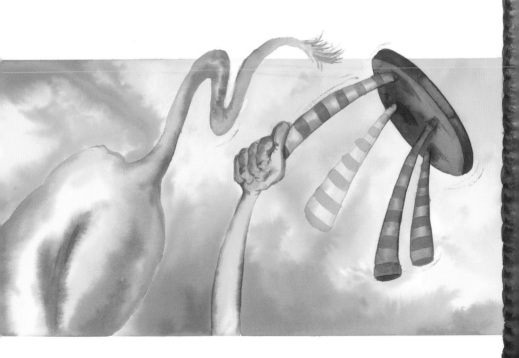

—Jefe —dijo el domador al dueño del circo—, me temo que usted ha hecho una mala compra, ese león no tiene garra: ni ruge ni ataca ni muerde ni nada; yo creo que ni tiene dientes y que es sordo.

—No hombre, no, es que es un león joven y hay que enseñarle, amaestrarle, domarle… ¡y tú le tienes que domar!

—¿Domarle? Si ese león está más domado que una oveja.

—Es tu trabajo, domador. ¡Obedece!

—Yo sí, pero quien tiene que obedecer es la fiera.

Durante muchas semanas, se repitió la escena de la doma y no se consiguió nada.

Se dieron cuenta de que el cazador les había estafado vendiéndoles un león defectuoso y sordo, una birria de león que no sabía ni rugir.

En vista de lo visto, metieron al león —sin gran esfuerzo—, en una camioneta y le devolvieron a la selva, que era lo suyo.

Y el león Leonardo volvió a ser feliz, porque tenía libertad y tranquilidad.

La tranquilidad le duró poco. Nada más llegar a la selva, una manada de rinocerontes le atacó.

—¡Dejadme en paz, «rinos», que soy pacifista, que soy pacifista, que vengo de pasarlo muy mal! —les dijo león Leonardo.

Pero los rinocerontes no querían diálogo (parecían hombres) y se echaron sobre Leonardo, y nuestro león no tuvo más remedio que defenderse. Y los fue venciendo uno a uno.

Claro que el león Leonardito era valiente y nada de sordo; lo que le pasaba es que era mudo y, por eso, no sabía rugir.

Una del Oeste

EL INDIO TORO DE PIE iba a luchar con Toro Sentado. Y los guerreros de Centollo Pata de Pollo iban a verse las caras —pintadas— con Ojo de Ajo.

Se va a iniciar el torneo (la lucha),
primero va Toro Sentado y se ducha.
Toro de Pie espera.
Toro de Pie desespera.
Toro Sentado
aparece todo mojado
con el hacha oxidada de barro.

—¡Uy! ¡Cómo vienes, cogerás un catarro! —dijo Toro de Pie a Toro Sentado.

—Antes de luchar, echemos un trago. Es licor de coco, bebe poco a poco.

—O.K., Toro de Pie. Yo te regalo unos espejos…

—Usemos los catalejos.

—No puedo creer lo que veo a lo lejos —dijo Ojo de Ajo a Centollo Pata de Pollo.

—No se mueven… ¡Beben! ¡Se cambian las plumas!

—¡No pelean! ¡Fuman!

—¡Ojo de Ajo, vamos para allá!

Final

Sin flechas ni tiros,
con abrazos y suspiros,
¡los enemigos se hicieron amigos!

No hubo lucha, no hubo gresca;
saltando y bailando sobre la hierba,
juntos los indios felices
se fueron a la reserva.

Los peces blancos

ÉSTOS ERAN UNOS
PECES BLANCOS que
vivían en un río,
y uno de ellos
era la madre; de
pronto apareció
una mujer que
venía a lavar.

Y el pez que era
la madre dijo:

—Escondeos
debajo de esa
piedra para
que esta
mujer lave mejor.

Se estuvieron quietos los peces, pero asomaron
sus cabezas para ver lo que lavaba;
y, en eso, los peces blancos
se volvieron
de colores.

El pirata Mofeta y la jirafa coqueta (1.ª parte)

IBA UNA JIRAFA por la espesa selva: alta, elegante y bella ella, acompañada de un ciervecillo joven, que aún no tenía cuernos y se había perdido de sus padres.

La jirafa se encontró un cofre de madera, junto a una palmera.

—¿Qué será esto? ¿Aquí qué habrá? ¿Qué habrá?

—¡Abra y lo sabrá!

La jirafa abrió el cofre-caja con una pata y…

—¡Ahí va! ¡Es un tesoro! ¡El tesoro de oro del moro! ¡Cientos de collares! ¡Collares de piedras preciosas, diamantes, brillantes y perlas como melones…

La jirafa se puso todos los collares y, presumida y coqueta, se miró en el espejo de las aguas del lago y le dijo:

—Lago mágico, dime: ¿hay otro animal en la selva más bello que yo?

El lago, como es natural, no contestó.

—¡Soy bellísima! ¡Soy bellísima! —decía la jirafa, excitadísima—. Y se inclinó para beber agua, y al terminar de beber… ¡Ay, hay que ver…!

No podía levantar el cuello por el peso de los collares y se quedó paralizada como una estatua, sin poder andar, sin poder levantar la cabeza…

—¡Ay, que me deslomo, me desmorro! Y ahora… ¿Cómo como?

(Las jirafas tienen el cuello tan largo, porque sólo comen las altas ramas de los árboles, estirando el cuello que Dios les dio.)

La jirafa coqueta intentó andar y la pata derecha se le encogió de un calambrazo y se quedó como un trípode sin fotógrafo. Cojeando se apoyó en una palmera para no caerse.

La jirafa coqueta y alhajada empezó a llorar por primera vez.

—¡Ahí está, muchachos! —gritó el pirata Mofeta a sus compañeros.

—¿El qué está?

—¡El tesoro!

—¿Dónde?

—En el cuello de esa jirafa.

—¡Uy, qué cuello de oro! ¡Qué porta-anginas millonaria! ¡Hay que matarla!

—No, no seas bruto, Sisebuto. No hay que matarla, además nos daría mala suerte. Recordad que no hemos venido a matar, sino a robar, que es otro verbo más humano.

—Entonces… ¿Disparamos los dardos para dormirla?

—Eso sí. ¡Preparados! ¡Disparad a la cabeza! ¡Ya!

—Oiga, jefe. ¿Por qué a la cabeza? La tiene tan pequeñita, que es difícil no dejarla tuerta. ¿Disparamos al cuerpo?

—¡No, he dicho que a la cabeza y aquí mando yo!

—¡Pum! ¡Pum! ¡Pum!

—Como si nada. Esta jirafa no se duerme ni con nanas…

—¡Pum! ¡Pum!

—No queda más anestesia, jefe. ¿La dormimos a garrotazos?

—No seas bruto, Sisebuto —dijo el Mofeta.

El grupo de los cuatro hombres compuesto por el Mofeta, Sisebuto, el Peludo y el Lirio, que no eran ni cazadores ni exploradores, sino piratas modernos, se empezaron a poner nerviosos. Caía la noche y no caía la jirafa.

—Hay que hacer algo —dijo el Mofeta.

—Hay que quitarle los collares como sea.

—¿Cómo?

—Trepando rabo arriba hasta el lomo y cabalgando lomo arriba hasta el cuello.

—¿Y quién le alcanza el rabo, si casi no tiene, criatura? Y, además, el rabo está a seis metros de altura.

—¡Pues… patas arriba!

—No es posible, Mofeta, trepar patas arriba por esa piel sedosa, se escurre uno y, además, si se lía a dar coces, ¿qué?

—No digo que trepéis patas arriba, digo que pongáis al bicho patas arriba y unos la sujetamos y otros la «desjoyan».

Dos horas tardaron en derribar a la jirafa.

Les costó más trabajo que volcar un autobús.

A la pobre jirafa le dolían todos los huesos, pero ella sólo sentía el largo dolor de sus cuatro metros de garganta hinchada y de sus cuatro metros de anginas aprisionadas por los collares.

Aunque la jirafa, ya echada sobre el suelo, se estaba quieta, la ataron el hocico y las patas, para mayor seguridad, y con tenazas y alicates empezaron a arrancarle los collares.

—¡Cuidado! ¡A ver si nos da un cuellazo! —dijo Sisebuto.

—No está para ello. ¿No ves que no puede mover el cuello? —contestó Mofeta.

—¡Jolines delfines! ¡Lo que hay que trabajar para no querer trabajar! —suspiró el Lirio.

Toda la noche trabajaron sudorosos a la luz de la luna, que hacía brillar a los brillantes como pequeñas estrellas sobre la hierba.

Terminada la operación-robo, desataron a la jirafa. Guardaron los collares preciosos, en un saco horroroso, y emprendieron el camino a través de la selva.

Llevaban andando un par de horas cuando, de pronto, Sisebuto se desmandó, sacó un revólver oxidado y gritó enloquecido:

—¡Arriba los monos! ¡Arriba los monos!

Mofeta y los otros dos piratas se pararon, con los brazos en alto, asustados, temiendo ser traicionados por Sisebuto.

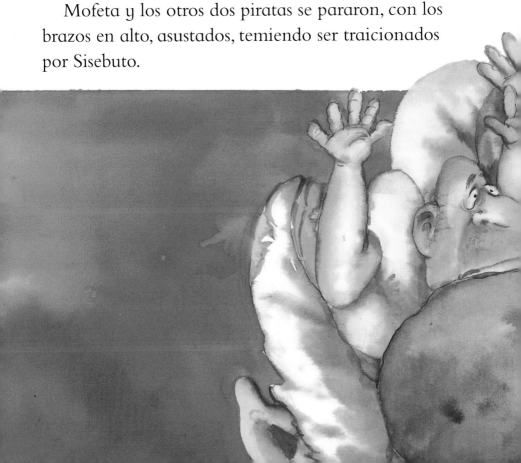

—¡He dicho arriba los monos!

Todos los monos que estaban jugando por el suelo, saltaron arriba de los árboles.

—¡Vaya susto, me tiembla el busto!

—Eres un bruto, Sisebuto. Te habíamos entendido: «¡Arriba las manos!».

—Perdonad, colegas, es que los monos me ponen los nervios nerviosos.

Los cuatro piratas siguieron caminando, caminando…
Iban muertos de sueño, sin dormir.

Iban muertos de hambre, sin comer.

Iban millonarios, sin botas. Iban millonarios, pero parecían pobres, pobres, hambrientos y no podían hacer un bocadillo de perlas y brillantes, porque ni siquiera tenían pan.

Así, los de la banda del Mofeta, ya dueños del gran tesoro, seguían andando andando, descalzos, medio desnudos, sedientos, hambrientos, camino del embarcadero del río Grande, que estaba aún a cien kilómetros de distancia, a unos diez días sin dejar de andar…

No sé si llegaron al río, porque los perdí de vista. Regresé a donde dejaron a la jirafa y… allí estaba el animalito. Se había puesto en pie, mordisqueaba las hojitas tiernas de lo alto de la palmera.

Tenía pequeñas heridas en el
cuello. Y aunque es muy difícil
notar cuándo una jirafa está
alegre, yo lo noté: la jirafa estaba feliz.
Y también la oí que decía muy bajito:
—¡Qué buena gente hay en el mundo!
Esos hombres me han salvado. ¡Qué
bien se vive sin joyas!

El pirata Mofeta
y el avestruz (2.ª parte)

A Mofeta y a sus piratas, daba pena verlos. Seguían andando y andando a trompicones: se caían, se levantaban, se dormían, se mareaban; cansados, rendidos, sin comida que comer, sin bebida que beber, cargados como burros, con el tesoro de oro del moro.

Habían salido de la selva y ahora caminaban por el desierto, que era peor por el calor. La arena les llegaba a las rodillas y el miedo les llegaba a las orejas.

Ni una palmera para el sol ni una hierba para comer ni un pozo para beber.

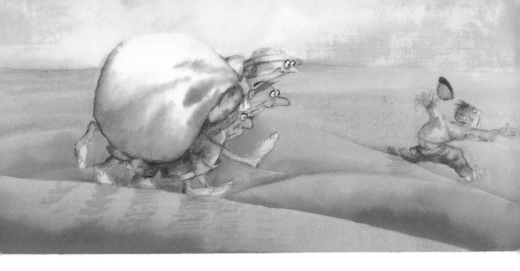

Al pirata Mofeta, le dio la locura y empezó a gritar:

—¡Somos ricos! ¡Somos ricos! ¡Somos ricos! ¡Somos los hombres más ricos del desierto!

—¿Y qué?

—¿Y qué?

—¿Y qué? —contestaron sus compañeros que aún estaban medio sanos.

De repente, delante de ellos, surgió una aparición extraña: algo gigantesco aleteaba y les daba aire fresquito al mover sus plumas.

—Esto es un espejismo colectivo —dijo Lirio el pirata, que era el más culto—. No fiaros, es un espejismo.

—¿Y qué es eso?

—Que el sol nos ha frito los sesos, y vemos visiones.

—¡La visión lo será usted! —dijo el avestruz y dejó de aletear.

—¡Jefe! ¡Si es verdad!

—¡Si no es un espejismo alucinante!

—¡Si es una gallina gigante!

—¡Hay que cazarla!

—¡Hay que matarla!

—¡Hay que pelarla!

—Sisebuto, no seas bruto —dijo el Mofeta.

Sisebuto no hizo caso y le ató las patas.

El avestruz, atado, cayó de ala y se torció el cuello. Dolorido, suplicó al pirata:

—¡Por favor, señor pirata,
desátame la pata,
dejo a tres avestrucillos huérfanos,
si me mata!
¡No me coma, criatura,
mi carne es muy dura,
no hay quien le meta el diente!

—¡Miente!

—¡Suéltalo! —ordenó Mofeta—. Y no seas bruto, Sisebuto, recapacita, medita, piensa (si sabes), que hay que proteger a las aves. Además, no tenemos fuerzas ni para pelarlo, ni leña para asarlo y a eso (mirando al avestruz) no hay quien lo coma.

El avestruz salió pitando, dando grandes zancadas, y, del susto que tenía, no les dio ni las gracias.

No lejos del grupo de piratas, el avestruz se echó sobre la arena y allí estuvo un rato, descansando, y después siguió su camino.

El Lirio se adelantó, gateando por la arena; llegó hasta el hoyo donde estuvo el avestruz y gritó:

—¡Huevo! ¡Huevo! ¡Estamos salvados!

El huevo era hermoso, mucho más grande que un balón de fútbol y pesaba más de tres kilos.

Con el huevo a cuestas llegaron a un oasis.

Excavaron en la arena y salió agua.

Excavaron en la arena y salió fuego.

Unas hojas inmensas hicieron de sartén.

Cogieron cocos, pelaron cocos e hicieron una tortilla de patatas sin patatas, con cocos.

La tortilla quedó como una plaza de toros.

—Ya no nos moriremos de hambre —dijo el Mofeta—. ¡A comer, muchachos! El avechucho nos ha salvado la vida. ¿Ves por qué no quiero matar a ningún animal, animal? A ti me dirijo, Sisebuto, tú le has asustado, le has atado y el avestrucito, en vez de vengarse, nos ha devuelto bien por mal…

—¡Está bien, jefe, no me regañe a la hora de comer, que es malo para el cuerpo!

Se hincharon de comer tortilla y, de postre, dátiles, y para la digestión un chupito de licor de coco.

Después de la comilona, los cuatro piratas se quedaron como cuatro troncos amodorrados y felices.

—¡Se acabó la siesta! ¡Hay que proseguir! ¡Llenad los pellejos de agua y las mochilas de tortilla, tenemos que tener tortilla para comer un mes!

—Es mucha tortilla, jefe. Es que todos los días tortilla…

—Peor es todos los días hambre. ¡Hombre!

—Sí, claro —respondió el Lirio, que no hablaba casi.

A los pocos días se cruzaron con un rebaño de camellos, guiados por unos nómadas tapados hasta los ojos. Eran los resistentes tuaregs del desierto.

—¿Hacia dónde van? —preguntaron los camelleros.

Y el Mofeta contestó:

—Vamos a bañarnos…

Y los nómadas les dijeron:

—El mar está a cincuenta kilómetros.

—¡Jolín con la playita!

Y continuaron su camino sobre la arena, hasta que llegaron al mar, hechos una pena.

El arroyo
y la montaña

El arroyo era un niño de agua.

Su padre, lago, y su madre, lluvia, le criaron entre
piedras, musgos y majuelos. El arroyo, como no tenía
hermanos para jugar, se hizo amigo de la montaña
pequeña, llena de caléndulas y perdices,
y así eran felices.

Se divertían jugando a hacer fuentes y grutas, y a hacer crecer árboles y frutas.

La niña montaña crecía poco a poco, pero el niño arroyo pronto estuvo hecho un hombre, o sea, un río.

Un día dijeron al río que tenía que irse para hacer el «Servicio del mar».

Aquel día su madre lluvia se puso a llorar, el niño arroyo también se puso a llorar y creció más. Empezó a dar vueltas y vueltas alrededor de la montaña, tantas que, por poco, no la convierte en isla.

El río pidió a su padre lago y a su madre lluvia que le permitieran quedarse allí con su amiga la montaña.

—No es posible, hijo; tú eres lo que eres, un río, y no puedes ser laguna.

—Yo no quiero ser laguna, lo que quiero es estar aquí y lo que no quiero es ir a hacer el «Servivio del mar» al mar, que ya tiene bastante agua.

—¡Pero río! —dijeron sus padres a dúo.

Aquella noche hubo un terremoto.

La montaña, asustada, se escondió hacia abajo
y el joven río se enroscó hacia arriba.

El paisaje era imponente.

Había nacido un nuevo lago en la comarca,
por el que asomaba la montaña feliz
la punta de su nariz.

Y la amistad reinó entre ellos.

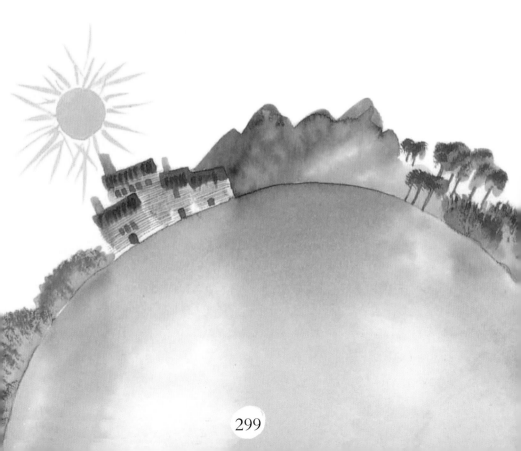

En el restaurante

—¡CAMARERO!

—¿Qué quiere?

—Quiero… Quiero patatas y huevos asados.

—¡Querrá decir huevos fritos con patatas!

—¡No, quiero decir patatas y huevos asados…!
Soy muy «diabeticón»,
me hace daño el aceite
y me ha dicho el doctor
que la comida al horno
es la mejor.

   (Se va el camarero y vuelve.)

—Aquí tiene lo que pidió, señor.

      Sobre el plato bailaban
    los tres huevos humeantes
    y a los pocos instantes
    ¡salieron tres pollitos
    tan campantes!

—¿Qué es esto?

—Huevos asados, señor, lo que usted pidió.

—¡Uuuuy!

Los huevos, con el calor del horno,
en vez de clara y yema
salieron de pluma y pollo.

El colmo de los colmillos

LOS CAZADORES DE MARFIL dejaron pasar a una manada de elefantes pequeños, porque aún no tenían colmillos.

—Hay que esperar, muchachos, días o semanas. Hay que racionar los víveres —ordenó el jefe al grupo.

—Será difícil, señor, nos queda poca comida, sólo saltamontes en conserva —que no dejan de ser una lata—, y agua queda una pizca.

—Pues hay que apretarse la faja y esperar —dijo él.

La única cosa buena que tienen los cazadores es la paciencia (digo yo).

Pasaron unos cuantos días, pasaron unos cuantos ciervos, pasaron unos cuantos bisontes y pasaron más hambre que los pavos de Benito, que se comieron a picotazos la vía.

Estaban más aburridos que ovejas en una conferencia de numismática, cuando aparecieron cerca de ellos tres gigantescos elefantes: uno era mayor que un autobús de dos pisos y tenía unos comillos larguísimos y en curva.

—¡A ése! ¡Al primero! ¡Al gordinflas! ¡Disparad!

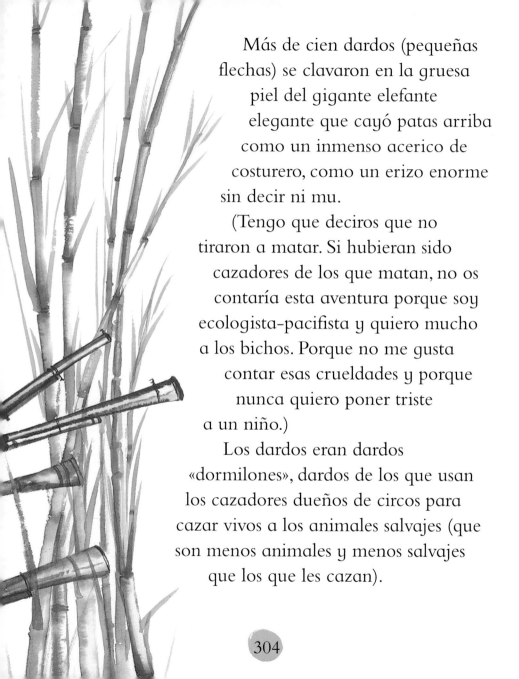

Más de cien dardos (pequeñas flechas) se clavaron en la gruesa piel del gigante elefante elegante que cayó patas arriba como un inmenso acerico de costurero, como un erizo enorme sin decir ni mu.

(Tengo que deciros que no tiraron a matar. Si hubieran sido cazadores de los que matan, no os contaría esta aventura porque soy ecologista-pacifista y quiero mucho a los bichos. Porque no me gusta contar esas crueldades y porque nunca quiero poner triste a un niño.)

Los dardos eran dardos «dormilones», dardos de los que usan los cazadores dueños de circos para cazar vivos a los animales salvajes (que son menos animales y menos salvajes que los que les cazan).

304

Como podéis imaginar, nuestros aventureros
cazadores no querían quitarle la vida al elefante, sólo
querían quitarle los dientes. Los larguísimos colmillos de
marfil, que valían un billón de pesetas, eran su única
pieza favorita.

Mientras dormía anestesiado el gran elefante, el
grupo de aventureros-dentistas prepararon los utensilios.
Unas grandes sierras metálicas y eléctricas, atronando la
selva, empezaron a funcionar junto a la boca del
«animalito» de dos toneladas.

Al cabo
de muchas horas
de trabajo, se oyó el
deseado ¡zsss! ¡zsss! Al
instante, se cayeron hacia
adelante los colmillos del elefante
y se cayeron, hacia atrás, los cazadores.
¡El viejo elefante tenía los colmillos
postizos! Nada de marfil, sólo plástico. (El
jefe, por ambicioso, había hecho el oso.) Los
cazadores se quedaron con la boca abierta.
Después con la boca cerrada.
Los cazadores se quedaron sin gasolina.
Tuvieron que abandonar el *jeep*. Emprendieron, a
través de la selva, la vuelta a la ciudad en el
coche de San Fernando (un ratito a pie y otro
andando), acribillados por los mosquitos y
rodeados de monos. Iban desfallecidos,
delgaditos, con barbas sucias y pies rotos.
No daban miedo, daban pena.

Así caminaban los cuatro cazadores, cuando
un ruido infernal y una espesa nube de polvo
no les dejó ver ni el camino ni las montañas.

Todos los elefantes de la selva les habían
perseguido. Estaban rodeados por los gigantescos
paquidermos. Los cuatro cazadores temblaban
como hojas de árbol bajo el vendaval.

Sólo con un trompazo del mayor elefante
—que pesaba dos mil kilos— los cuatro
canijos cazadores hubieran saltado por
los aires.

El jefe de los elefantes habló:
—Dejad de tiritar, humanos.
venimos en son de
ganza. Tenéis suerte de
seamos elefantes
etarianos y pacifistas. Sólo
iros que a ver si dejáis de
arnos las narices y de
arnos los colmillos,
ontólogos de m…

El coche que atropelló un árbol

EL COCHE SE ABOLLÓ. Estiró las ruedas y arrugó el hocico. Pero el árbol quedó destrozado y toda la acera llena de nidos y pichones.

El conductor dijo mirando al árbol caído:

—¿Tendrá arreglo?

—No, señor, éste ya no retoña —dijo un viejecito que entendía.

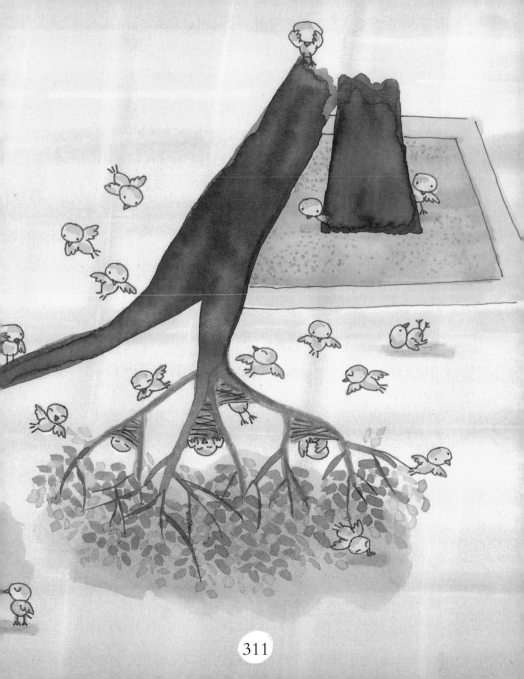

Y yo dije:
—¡Qué ciudad! ¡Qué barbaridad!
Cada día hay más coches y menos árboles,
más ruido y menos oxígeno,
cada día hay más prisa y menos risa.

Yo me voy al pueblo
a recoger la aceituna
(si queda alguna).

Yo me voy al pueblo, ahora,
a trabajar de pastora
(si quedan ovejas),
a recoger miel
(si quedan abejas).

Yo me voy al pueblo
a plantar un árbol,
a escribir un cuento.
Adiós, Madrid,
(lo siento).

La paloma y el tanque

LA PALOMA IBA ANDANDO tranquila, entre las margaritas y los montecitos del campo, picoteando granitos de trigo sueltos… Cuando se le echó encima, como un gigante monstruoso, el tanque, que apareció en un alto y bajó echando chispas hasta la verde llanura.

El tanque era negro, feo, muy grande, hacía mucho ruido.

La paloma era blanca, guapa, pequeña, silenciosa.

La paloma sufrió un trastazo y se salvó de milagro.

La paloma, muy asustada, se echó a llorar y se echó a volar.

La paloma volaba muy mal, coja de pata, y manca de ala, no se podía posar en ningún lugar del mundo.

Y seguía volando, volando.

—No termino de curarme, me voy a caer —decía la paloma—.Volaré bajito para que el golpe sea menos fuerte.

Por fin aterrizó en el patio de un colegio.

—¡Ahí va! ¡Una paloma! —dijeron los niños.

—Una paloma herida —dijeron las niñas y la cogieron con cuidado.

—¡Cómo tiembla! ¡Pobrecita!

—Tiene sangre en las patas.

—No, es que son así. En mi pueblo hay palomas de pata roja y cerdos de pata negra.

—Venga, déjate de historias, hay que curarla, rápido.

En el botiquín del colegio, le vendaron la pata, le curaron el ala, le pusieron comida, le dieron agua y la acariciaban despacito.

La paloma seguía temblando, pero ahora no era de
miedo, era de emoción; pasó del miedo al cariño,
de las garras del tanque a las manos de un niño.

La paloma se curó, aunque quedó algo cojita de una
pata; pero al volar, que era lo suyo, no se le notaba.

La paloma se quedó a vivir en el tejado del colegio,
comía en las manos de los niños, asistía a las clases,
aprendió las letras, y a decir una frase, que repetía, cada
día, a los chicos:

—Que nunca os pase lo que a mí,
que nunca os pase lo que a mí.

(Y la paloma de la paz
se quedó con ellos a vivir.)

Tres tigres con trigo

ESTE TIGRE se llama Tigre,

éste se llama Trigo,

y ésta se llama Tigra
porque es niña.

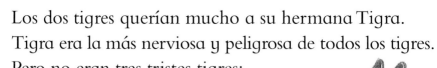

Los dos tigres querían mucho a su hermana Tigra.

Tigra era la más nerviosa y peligrosa de todos los tigres.

Pero no eran tres tristes tigres:
pronto aprendieron
a jugar sin gente,
y a comer sin dientes;
empezaron con hierbas,
plantas tiernas
y plátanos dulces.

Cerca de los tres tigres, pasó Naftalina, un negrito de unos cinco años de edad, con todo el cuerpo pintado a rayas amarillas y que, andando a gatas, parecía otro tigre.

Por eso a los tres tigres no les extrañó el nuevo personaje, creyendo que era otro igual, de la misma raza; pero era un niño.

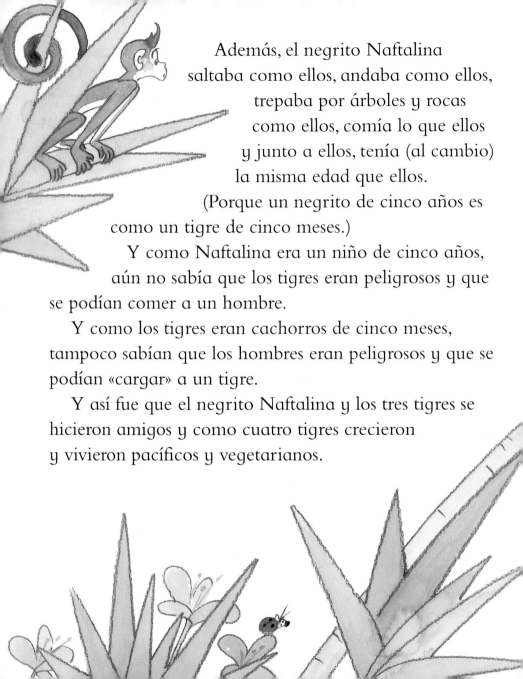

Además, el negrito Naftalina
saltaba como ellos, andaba como ellos,
trepaba por árboles y rocas
como ellos, comía lo que ellos
y junto a ellos, tenía (al cambio)
la misma edad que ellos.
(Porque un negrito de cinco años es
como un tigre de cinco meses.)
Y como Naftalina era un niño de cinco años,
aún no sabía que los tigres eran peligrosos y que
se podían comer a un hombre.

Y como los tigres eran cachorros de cinco meses,
tampoco sabían que los hombres eran peligrosos y que se
podían «cargar» a un tigre.

Y así fue que el negrito Naftalina y los tres tigres se
hicieron amigos y como cuatro tigres crecieron
y vivieron pacíficos y vegetarianos.

Naftalina era ya un hombre fuerte como Tarzán y los tres tigritos se hicieron tres tigres de rugido en pecho.

Naftalina, como era el «animal» más listo de los cuatro (por algo era hombre), se había hecho una especie de tambores con palos de ramas y piel de serpientes, y los tocaba al atardecer con las manos.

¡Qué bien tocaba los tambores! Era un artista, porque nadie le había enseñado a hacerlo, y eso era ser artista.

Lo más maravilloso es que, imitándole, también tocaban los tambores los tres tigres. Y, cantando y riendo, tocando y disfrutando, estaban felices en su paraíso particular.

Hasta que…
Pasó lo que tenía que pasar.
Pasó un hombre…
    Y… se acabó el concierto.

            El hombre era blanco,
            bigotudo,
            escopetado,
            desgreñado,
            arañado, roto;
            parecía un náufrago
            o un loco…

Se echó la
escopeta a
la cara y…

—¡Sooo, sosegaros! ¡Que no comemos carne!

Al domador se le encasquilló la voz en la garganta y la bala en la escopeta.

—¡Cielos! ¡Un tigre que habla! ¡Poco a poco, me estoy volviendo loco!

Y salió corriendo. Naftalina y los tres tigres le siguieron, hasta que el domador cayó por un barranco y perdió la escopeta y el conocimiento.

Cuando el domador abrió los ojos, vio sobre su cara tres cabezotas de tigre lamiéndole las heridas, mientras Naftalina le echaba agua en la cabeza con una concha para espabilarle.

El domador por poco no se marea otra vez.

(Imaginaos si os despertáis y no veis más que cabezas de tigre sobre vuestra cabeza y la cara pintada de un negrito salvaje y sin traje.)

—¡Dios mío, ayúdame! —exclamó el domador.

—Ya te está ayudando, macho. No te pongas nervioso. Somos cuatro tigres vegetarianos y, por lo tanto, no comemos carne.

—Pero yo tengo carne de gallina…

—Solamente comemos carne de membrillo. Así que, apacíguate.

Entre los cuatro se lo llevaron a su cueva y le dieron leche de coco y pastel de verduras.

Después, para animarle, se pusieron a rugir y a cantar al son de sus tambores, canciones folclóricas de la selva, tales como:

«*Tan tan tan,*
tantán.
Tan tan tan,
tambor,
tantán.
Tan tan tan,
tontón».

Gracias, amigos.
Nunca os faltará,
queridos tigres,
trigo.

Y el domador, aunque estaba bajo una cueva, vio el cielo abierto y soñó con el éxito mundial que tendría si presentaba en su circo lo que estaba viendo.

…Pero no terminaron en el circo, terminaron en este cuento.

Y ahora vosotros los estáis viendo:

Un tigre,

dos tigres,

tres tigres

y Naftalina;
¡cuatro tigres!
con trigo y contigo.

Miau y Guau

MIAU ERA UN GATO que se llamaba Gato, pero le llamaban Miau, porque sólo sabía decir: «¡Miau!».

Guau era un perro que se llamaba Perro, pero le llamaban Guau, porque sólo sabía decir: «¡Guau!».

Gato Miau tenía un amigo, también gato, pero le llamaban Marramiáu, porque sólo sabía decir «¡Marramiáu!».

—Mira, Marramiáu —dijo Miau—, este es Guau, el amigo de los gatos.

El gato nuevo dijo: «Marramiáu» (que quería decir: «mucho gusto en conocerle») y le dio la pata.

Siempre juntos,
dos gatos y un perro,
sin problemas ni sustos,
vivían a gusto…

Hasta que apareció Guaguáu, el perro feroche,
al frente de un grupo de perros ladradores.

—¡Ay, tú! ¿Qué hace un perro como tú junto a dos
gatos esmirriados y piojosos?

—Estos gatos pertenecen a la pandilla de los amigos
de los perros.

—No me lo creo.

—Te lo creerás. Hemos firmado un papel los perros
y los gatos para unirnos.

—¿Contra quién?

—Contra nadie —dijo Miau—, contra nadie con patas. Contra el hambre y el frío, contra los escobazos que nos dan y los laceros que nos acosan. (Laceros son unos hombres del ayuntamiento que cazan a lazo y matan a los perros sin amo.)

—No me lo creo —dijo el perro feroche, mientras ladraba a un coche.

—Te lo creerás. Os invitamos esta noche. Traerás a todos los perros que puedas encontrar. Vivimos en las afueras de la ciudad. Nos repartimos la comida y los escondrijos donde dormir. Allí sólo hay gatos y perros que nos llevamos bien, contentos y en paz. Mientras que en la ciudad los hombres no se quieren, se roban y, a veces, se matan, nosotros, los perros y los gatos, nos llevamos como hermanos. ¡Guau!

—¡Guau, guau! —dijo Guauguaguáu, el perro feroche, jefe de los perros antigatos.

El blando corazón del perrito Guau ablandó el endurecido corazón del perro Guaguáu, y Guaguáu y sus compañeros —perros de distintas razas, edades y tamaños— siguieron a Guau y a los dos gatitos hasta el pueblo de Gatiperruna, que estaba cerca de una laguna y parecía un paraíso silencioso donde no había hombres ni autos.

Y gracias a Guau, el perro,
y gracias a Miau, el gato,
los animales sin amo
no se volvieron a llevar
como el perro y el gato.

abrazo

Sirve para decir «Te quiero»
sin palabras.
Da gracias a Dios
que no eres manco,
tienes dos brazos
para los abrazos.

adiós

Despedida en español.
Si dices adiós a quien quieres,
tus ojos llueven.
Si dices adiós al dolor,
te sientes mejor.

alimento

El mejor alimento
es que siempre estés contento.

amigo

Si tú tienes un amigo,
eres rico, rico, rico.
Tener amigos es un tesoro.
La amistad es dar,
sin esperar.

amor

Querer a alguien que no es de tu familia.
Querer a tu familia,
querer a quien más quieres,
querer a todo el mundo,
esto es amor.

armas

Las pistolas (ni de agua).
El revólver (ni de broma).
La escopeta (ni tocarla).
Los juguetes para todo
y las armas para nada.

cazador

Hombre que mata animales.
Horrible profesión antediluviana.
Hace muchos siglos el cazador mataba
para comer,
hoy matan para divertirse.

corazón

Músculo importante que tenemos dentro del pecho.
Es una máquina que nos limpia la avaricia y la sangre.
Los sabios dicen que en el corazón reside el amor.
Si das lo que tienes, si quieres a todo el mundo
tienes buen corazón.

Los buenos sentimientos nacen del corazón.
El corazón es un poeta que recita «tic-tac-tic-tac»;
si deja de recitar y se calla, te mueres.

guerra

Lo peor que sucede a la
humanidad.

Hombre contra hombre,
pueblo contra pueblo,
nación contra nación,
cientos o miles de hombres
se dedican a matar a
otros hombres.

Epidemia de cáncer en el alma:
el corazón se llena de odio,
el instinto, de crueldad.

Los niños, las viejas y las mujeres
no hacen la guerra,
pero mueren en ella.

En los pueblos, en las ciudades,
mueren de sed, hambre o heridas de metralla.
Cuando todo el mundo se haga pacifista
se acabarán las guerras.

¿Quereos! (…) (Pon aquí el taco que quieras.)
Sabemos que nos tenemos que morir,
¡pero no todos al mismo tiempo! (…) (Aquí otro taco.)

hermano

Hermano tuyo es
todo hombre o mujer
que vive en la Tierra,
por eso el mayor delito
es matar a tu hermano
haciendo la guerra.

libro

Es la obra que escribe un escritor.
Es el objeto más valioso de la vida.
Una casa sin libros
da tanta pena
como una chabola
sin agua y sin luz.

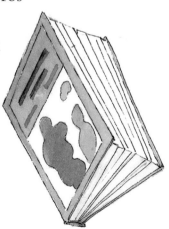

mascota

Persona, animal o cosa
que nos vale de talismán,
porque nos da buena suerte.
Una buena mascota puede ser:
un amigo que nos quiera,
un búho,
un elefante,
un rabo de conejo,
una rana, un guisante,
una joya.
Cada cual escoge su mascota.

miedo

El miedo nace del susto,
nace de esperar un susto.
Tener miedo es sentir la proximidad de algo malo,
desconocido, real o imaginado.
(Yo tengo miedo a tener miedo.)

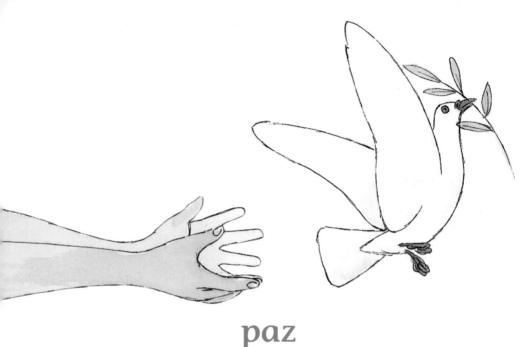

paz

La paz es lo mejor que puede suceder a un pueblo,
a un país, a una persona.
Tener paz es comprender y querer
al amigo, al familiar, al vecino.
Tener paz interior
es quererte, cuidarte, estar a gusto contigo,
y así surge el estar a gusto con todo el mundo.
Familias, pueblos, países,
si se quieren entre ellos
hacen la paz.

regalar

Buena costumbre.

Regalar es dar a alguien algo
con intención de agradarle,
de agasajarle,
sin esperar recompensa.

Manos que no dais,
¿qué esperáis?
Si no das la mitad de lo
que tienes,
da al menos lo que te sobra.
Sólo se tiene lo que se da.

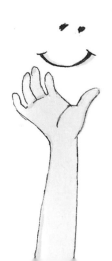

Hay regalos caros, regalos humildes,
y hay regalos de lujo,
que no hay dinero para pagarlos:
regalar una sonrisa,
regalar un beso,
regalar un apretón de manos,
regalar una amistad.
Estos son los mejores regalos que
podemos dar.

¡De lujo!

suerte

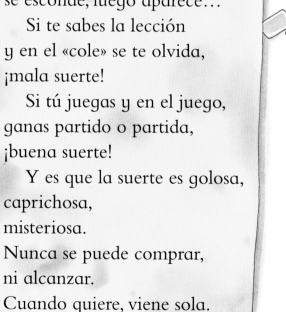

La suerte es un hada azul,
que no nos invita siempre,
va y viene como las olas,
se esconde, luego aparece…
Si te sabes la lección
y en el «cole» se te olvida,
¡mala suerte!
Si tú juegas y en el juego,
ganas partido o partida,
¡buena suerte!
Y es que la suerte es golosa,
caprichosa,
misteriosa.
Nunca se puede comprar,
ni alcanzar.
Cuando quiere, viene sola.

tesoro

Que te quiera un amigo
es el mejor tesoro,
¡vale más que el oro!
Tesoro: montón de dinero.
Montón de joyas
(diamantes, perlas, baratijas),
cuadros antiguos, objetos valiosos.
Personas buenísimas, excelentes,
inventores,
artistas, doctores
y poetas
también son
tesoros de
la naturaleza.

Índice

Definiciones de Gloria para entender mejor